MÉLANIE LAPIERRE

la courte échelle

Les éditions de la courte échelle inc.
5243, boul. Saint-Laurent
Montréal (Québec) H2T 1S4
www.courteechelle.com

Dépôt légal, 4e trimestre 2010
Bibliothèque nationale du Québec

La courte échelle reconnaît l'aide financière du gouvernement du Canada par l'entremise du Fonds du livre du Canada pour ses activités d'édition. La courte échelle est aussi inscrite au programme de subvention globale du Conseil des Arts du Canada et reçoit l'appui du gouvernement du Québec par l'intermédiaire de la SODEC.

La courte échelle bénéficie également du Programme de crédit d'impôt pour l'édition de livres - Gestion SODEC - du gouvernement du Québec.

Catalogage avant publication de Bibliothèque et Archives nationales du Québec et Bibliothèque et Archives Canada

Gauthier, Bertrand

Mélanie Lapierre

Publ. à l'origine en volumes séparés.
Sommaire : Panique au cimetière ; Les griffes de la pleine lune ; Les ténèbres piégées
Pour les jeunes de 9 ans et plus.

ISBN 978-2-89651-415-1

I. Jorisch, Stéphane. II. Titre.

PS8563.A847M44 2010 jC843'.54 C2010-941663-5
PS9563.A847M44 2010

Imprimé au Canada

Bertrand Gauthier

Bertrand Gauthier aime bouger : il marche au grand air et fait du vélo. Il aime aussi aller au cinéma, au théâtre et découvrir ce qui est nouveau. Mais par-dessus tout, Bertrand Gauthier est un grand amateur d'histoires, de toutes les histoires : amusantes, étonnantes, effrayantes ou émouvantes. Il en a toujours écrit beaucoup, et cette passion l'a poussé à créer les éditions de la courte échelle.

Stéphane Jorisch

Comme il le dit lui-même, Stéphane Jorisch dessine « à toutes les sauces ». Né en Belgique, il grandit au bord du Saint-Laurent. Il commence à dessiner sur les traces de son père, illustrateur de bandes dessinées. Rêveur, Stéphane tire son inspiration de la vie quotidienne. Il habite aujourd'hui Montréal où il partage un gigantesque studio de travail avec d'autres artistes.

Du même auteur à la courte échelle

Collection albums
Série Zunik :
Zunik, volume 1
Zunik, volume 2
Zunik, volume 3

Série Il était une fois :
La princesse qui voulait choisir son prince

Collection Premier Roman
Adrien n'est pas un chameau

Série Les jumeaux Bulle :
Pas fous, les jumeaux !
Le blabla des jumeaux
Abracadabra, les jumeaux sont là !
À vos pinceaux, les jumeaux !
La, si, do, place aux jumeaux !
Silence, les jumeaux tournent

Hors collection Premier Roman
Série Les jumeaux Bulle :
Les jumeaux Bulle, volume 1
Les jumeaux Bulle, volume 2

Collection Ado
Série Sébastien Letendre :
La course à l'amour
Une chanson pour Gabriella

Collection Roman Jeunesse
Série Ani Croche :
Ani Croche
Le journal intime d'Ani Croche
La revanche d'Ani Croche
Pauvre Ani Croche !
Le cent pour cent d'Ani Croche
De tout cœur, Ani Croche
Bonne année, Ani Croche

Série Mélanie Lapierre :
Panique au cimetière
Les griffes de la pleine lune
Les ténèbres piégées

Hors collection Roman Jeunesse
Série Ani Croche :
Ani Croche, volume 1
Ani Croche, volume 2

Mélanie Lapierre voyage !

Les aventures de Mélanie Lapierre sont traduites en espagnol.

Des honneurs pour Bertrand Gauthier, auteur de la série

- Prix de littérature jeunesse Claude-Aubry (2002)

- Prix Fleury-Mesplet (pour son apport exceptionnel à l'édition québécoise) (1995)

- Médaille de la Culture française, remise par l'Association de la Renaissance française (1996)

- Prix d'excellence de l'Association des consommateurs du Québec pour *Le dragon*, série Zunik (1992)

- Premier prix, Palmarès des clubs de lecture Livromagie pour *La revanche d'Ani Croche* (1989)

- Prix Alvine-Bélisle, meilleur livre jeunesse de l'année, pour *Je suis Zunik* (1985)

- Prix Québec/Wallonie-Bruxelles de littérature de jeunesse pour *Je suis Zunik* (1985)

- Prix du Conseil des Arts du Canada, meilleur livre jeunesse de l'année, pour *Hébert Luée* (1980)

Pour en savoir plus sur la série Mélanie Lapierre,
visitez le www.courteechelle.com/collection-roman-jeunesse

Bertrand Gauthier

PANIQUE AU CIMETIÈRE

Illustrations
de Stéphane Jorisch

la courte échelle

Chapitre I
Une peur bleue dans la nuit noire

Tout en chantonnant joyeusement, Mélanie Lapierre retourne chez elle. Comme d'habitude, après avoir quitté son amie Caroline, elle emprunte machinalement le chemin qui longe le cimetière.

À un moment donné, un bruit bizarre la fait sursauter. Curieuse, Mélanie décide d'aller voir ce qui se passe. En s'aventurant dans le sentier qui mène aux pierres tombales, elle croit entendre des lamentations. Mais chaque fois que Mélanie Lapierre s'approche des gémissements, ces derniers semblent s'éloigner.

Puis, quelques instants après, les lamentations recommencent de plus belle:

à gauche, à droite, devant ou derrière Mélanie.

De quoi l'étourdir! Et lui faire peur!

Mais surtout de quoi l'intriguer!

Afin de tenter de résoudre cette énigme, Mélanie s'attarde dans le cimetière. Elle semble envoûtée par le rythme lancinant des lamentations.

Elle ne voit pas le temps passer.

Ainsi, quand la noirceur arrive, la pauvre Mélanie Lapierre commence à s'inquiéter. Les larmes aux yeux, elle constate que ses points de repère ont complètement disparu. Autour des sentiers sinueux, les pierres tombales se ressemblent toutes.

Horriblement!

Dans ces conditions, pas moyen de retrouver son chemin!

Mélanie n'ose s'avouer qu'elle est maintenant seule et perdue au milieu de ce cimetière. Elle se refuse à imaginer le cruel destin qui l'attend.

Dans la lourdeur de cette nuit naissante, Mélanie fait donc des efforts surhumains pour ne pas céder à la panique. Elle lutte de toutes ses forces contre cette terreur qui l'envahit. Du mieux qu'elle peut, elle combat cette paralysie qui veut

Panique au cimetière

s'emparer de tout son corps.

De nouveaux cris font alors sursauter Mélanie. Bien que morte de peur, elle se dirige vers cet endroit plus bruyant que les autres, dans l'espoir de trouver de l'aide. Terrorisée, elle croit identifier une suite de longs gémissements semblables aux plaintes émises par les grands malades qui agonisent.

Étrangement, les lamentations semblent émerger de la terre.

De l'intérieur même de la terre.

Mélanie se rend alors compte qu'elle perçoit le moindre bruit avec une extrême acuité. Ses oreilles réagissent comme de véritables amplificateurs. Sa sensibilité aux bruits semble décuplée. Si ça continue, ce tintamarre infernal va la rendre folle.

Au plus vite, quitter cet endroit sinistre pour aller se réfugier quelque part. N'importe où, mais ailleurs que dans cet affreux cimetière!

Propulsée par cet espoir, Mélanie Lapierre se met à courir dans la nuit. Comme une forcenée, elle s'en va retrouver sa maison, ses parents, sa grande amie Caroline, son jeune frère Renaud qui doit présentement dormir sur ses deux oreilles...

Fébrile, Mélanie en oublie de regarder devant elle. Malheureusement, elle ne voit pas la pelle qui traîne par terre. Elle s'y accroche et trébuche. Dans sa tête, les lamentations continuent à résonner de plus belle.

Mélanie n'a plus maintenant le moindre doute: ces gémissements macabres proviennent bien de l'intérieur de la terre. Elle a même l'impression d'entendre une voix l'implorer.

— Là...à...à...à...à, là...à...à...à...à à vos pi...i...i...i...ieds, je suis enterré vivant...ant...ant...ant...ant. Vous êtes ma dernière chan...an...an...an...ance. S'il vous plaît, ai...ai...ai...ai...dez-moi, ai...ai...ai...ai...dez-moi, sortez-moi de ce pétrin. Je suis désespéréééééééé... désespéréééééééé...

Vite, se relever et prendre la fuite!

Mais dans quelle direction?

Tout autour de Mélanie, il n'y a que des pierres tombales. À cause de la pleine lune, elle les aperçoit très bien projeter leur ombre menaçante. L'horizon est complètement bloqué par des milliers de ces roches toutes plus lugubres les unes que les autres.

Mélanie est prise au piège.

Un horrible piège!

Elle sent l'étau se resserrer sur elle.

Durant tout ce temps-là, un doute ne cesse de tourmenter l'esprit de Mélanie. Un doute terrible qui se transforme même en une hypothèse valable.

«Et pourquoi cette personne qui gémit ne serait-elle pas encore vivante? Enterrer des gens qui n'étaient pas tout à fait morts, ça s'est déjà vu. Certains états comateux sont tellement similaires à la mort qu'on peut s'y méprendre.»

Au même moment, Mélanie constate que les lamentations sont maintenant beaucoup moins aiguës qu'auparavant. Elles n'ont donc jamais été aussi assourdissantes qu'elle les avait perçues. Elle se dit que dans sa grande panique, elle avait dû les amplifier.

Rien de plus normal à ça.

Après tout, dans un cimetière, par une nuit de pleine lune, le moindre bruit peut facilement ressembler à un véritable coup de canon.

Elle est rassurée.

Jugeant qu'elle n'a rien à perdre, Mélanie Lapierre décide d'aller vérifier.

«Si cette personne est encore vivante et que je lui sauve la vie, elle me sortira à mon tour du pétrin en m'indiquant la sortie de cet horrible endroit.»

Nerveuse quand même, elle s'empare de la pelle qui gît sur le sol. Et elle se dirige ensuite lentement vers le lieu d'où proviennent les lamentations.

Bizarrement, à cet endroit, il n'y a pas une seule pierre tombale. Et à ce moment précis, Mélanie Lapierre se met à creuser de manière frénétique.

En peu de temps, sa pelle se bute à quelque chose de résistant. Impossible que ce soit déjà le cercueil, Mélanie a à peine creusé vingt centimètres. C'est sûrement une roche qu'elle vient de frapper. Elle se met donc à dégager l'objet qui lui apparaît de plus en plus gros et de moins en moins rond.

Pas de doute, elle vient déjà d'atteindre un cercueil noir! Mélanie se dépêche d'enlever toute la terre qui le recouvre. Mais si près du but, le doute et la peur s'emparent d'elle. Elle se remet alors à hésiter.

Depuis quelques instants, c'est le silence complet qui règne dans le cimetière. Elle n'entend que sa respiration haletante. La personne qu'elle s'apprête à sauver d'une mort certaine ne se manifeste plus du tout.

En regardant la tombe, Mélanie a une idée. Il y a un moyen infaillible de vérifier si la victime est toujours vivante: c'est de lui parler. Si elle veut sortir de là, elle saura bien se manifester.

Timidement, Mélanie risque donc une question.

— Il y a... quelqu'un... là-dedans?

Pas de réponse!

— Il y a... quelqu'un...? Vous êtes mieux... de me... répondre, sinon, sinon... je ne bouge pas.

Néant.

Pas de conclusions trop rapides!

La personne qui gémit a peut-être utilisé ses dernières énergies pour lancer des cris de détresse. Là, elle est probablement encore vivante, mais elle a perdu connaissance. Dans un cercueil, même si ce n'est qu'à vingt centimètres sous terre, on peut manquer d'air à n'importe quel moment.

Néanmoins, ce silence de mort inquiète Mélanie.

Et puis, il faut bien l'admettre, c'est plutôt rare qu'on doive ouvrir un cercueil. Et encore plus rare quand on est seule, la nuit, dans un cimetière.

Dans le cas de Mélanie Lapierre, ce sera une première.

Et elle souhaite vivement que ce soit aussi une dernière!

Malgré sa peur bleue, elle décide de donner quelques bons coups de pelle sur le cercueil et de s'éloigner dans l'attente d'une réaction. Aussitôt dit, aussitôt fait. Mais la réaction se laisse encore attendre et ne se manifeste finalement pas. Le lourd silence qui enveloppe la nuit devient alors obsédant.

Quelques instants plus tard, Mélanie se rapproche lentement du cercueil. Elle tend l'oreille dans l'espoir d'entendre un gémissement, une lamentation, un sifflement, un murmure quelconque.

Mais rien.

Toujours rien.

Là, elle retrouve son courage. Enfin, ce qu'il en reste.

«Du sang-froid, Mélanie Lapierre!»

Au même moment, les gémissements reprennent et ils proviennent bien de l'intérieur de la tombe. C'est alors que Mélanie croit entendre une voix la supplier:

— J'étouffe...ouffe...ouffe, sauvez-moi...oi... oi..., s'il vous plaît...aît...aît.

Elle se penche doucement vers le cercueil. En glissant ses mains sous le couvercle, elle commence à le soulever. Heureusement, il n'est pas trop lourd.

Dans la nuit, un cri strident vient aussitôt percer les oreilles de Mélanie.

En hurlant, elle lâche le couvercle.

En un temps record, elle met une distance respectable entre elle et la tombe.

Entre elle et la tombe noire qui vient de rugir.

Chapitre II
Le souffle de la mort

En entendant un bruissement d'ailes, Mélanie Lapierre comprend ce qui vient de se produire. Et elle réalise avec soulagement que ce n'est qu'un oiseau. En s'envolant, il a lancé le cri strident qui a percé le silence de la nuit.

Avec ses nombreux coups de pelle sur la tombe, Mélanie a sûrement dû tirer cet oiseau de son sommeil. Rien à voir avec un quelconque revenant qui aurait surgi de son cercueil.

Mélanie s'est inquiétée pour rien. Rassurée, elle reprend peu à peu ses esprits.

L'explication trouvée et le danger fictif écarté, elle se rapproche de nouveau de la tombe.

Plus décidée que jamais à l'ouvrir.

Mélanie est de plus en plus persuadée qu'elle est le dernier espoir de cette personne en détresse. Elle est aussi très flattée qu'une vie humaine dépende d'elle. Pour une fois, elle a l'impression qu'il se passe quelque chose d'exceptionnel dans son existence.

«J'ai toujours voulu être une héroïne. Eh bien! c'est l'occasion rêvée de le devenir. Ensuite, il sera encore temps d'avoir peur.»

Il faut agir.

Et vite!

D'un coup sec, elle soulève le couvercle du cercueil.

Terrassée par l'effroi, elle aperçoit un cadavre à demi décomposé. Un amas de chair couvert de plaies s'étale devant ses yeux.

Complètement paralysée par ce qu'elle voit, Mélanie ne réussit pas à bouger le moindre orteil. Et le moindre cri n'arrive pas à sortir de sa gorge. Pendant quelques secondes, elle se sent aussi morte et rigide que l'affreux cadavre qu'elle doit contempler.

C'est à ce moment précis que les lamentations reprennent de plus belle. Cette fois, elles semblent surgir du ventre de l'effroyable créature qui se met à bouger dans sa tombe. En même temps, Mélanie a la nette impression qu'on lui souffle dans le cou.

Ça y est, c'est sûrement le souffle de la mort.

Mélanie est convaincue qu'elle vient de déterrer un mort vivant qui se prépare à bondir sur elle. Si elle ne veut pas se retrouver entre les mains visqueuses et squelettiques de cet affreux cadavre, elle doit faire quelque *chos*...

Trop tard!

Elle n'a pas le temps de réagir.

Encore moins de se sauver!

Déjà, par derrière, on la saisit. Une main vient aussitôt se poser sur sa bouche pour l'empêcher de crier. En même temps, d'un violent coup de pied, l'intrus referme brutalement le cercueil sur le cadavre qui rugit.

Mélanie se débat et tente de mordre cette main qui la garde prisonnière. Malheureusement, elle n'y arrive pas. Elle a beau y mettre l'énergie du désespoir, elle s'aperçoit vite qu'on la retient solidement.

Panique au cimetière

— Inutile de te débattre ainsi, dit alors une voix d'homme, dans son dos. Reste calme, je n'ai pas l'intention de te faire le moindre mal. Promets-moi de ne pas crier et je te libère tout de suite. Tu comprends, il ne faut pas ameuter les autres, tous les autres... Ici, dans ce cimetière, il faut apprendre à être discret.

Mélanie fait aussitôt oui de la tête.

A-t-elle vraiment le choix?

L'homme tient aussitôt sa promesse de la relâcher.

Au premier coup d'oeil, c'est encourageant.

L'individu devant elle ne ressemble en rien au revenant répugnant qui vient d'être assommé dans son cercueil. Au contraire, il est jeune et, il faut l'admettre, plutôt beau.

Mélanie se demande aussitôt d'où peut bien sortir cet individu aux allures normales. Elle se demande aussi ce qu'il peut bien faire dans cet endroit sinistre. Des questions lui brûlent les lèvres et elle décide de les poser au nouveau venu.

— La tombe, là, le cadavre... là-bas... est-ce que vous croyez que c'est encore vivant, là-dedans? J'ai cru entendre des gémissements, est-ce que ça se peut? Est-ce qu'il va revenir me chercher? Et vous, qui *êt*...

— Tu ne devrais pas poser autant de questions, intervient alors l'étranger en lui coupant la parole. Dans ton intérêt, ne cherche pas à trop en savoir. La seule chose que je peux te dire, c'est de te tenir loin des gémissements et des lamentations. Tiens-toi toujours le plus loin possible des griffes de la mort.

Les griffes de la mort?

— Arrête de trembler de peur et suis-moi, continue alors l'étranger de sa voix la plus rassurante. Tu n'as rien à craindre de moi, je ne te veux aucun mal, tu peux me croire. Viens chez moi, je t'offre une bonne boisson chaude. Et je te promets de t'expliquer ensuite comment t'enfuir de ce cimetière.

Ce n'est pas dans les habitudes de Mélanie de suivre des étrangers. Mais entre cet étranger plutôt charmant et l'horrible revenant de tout à l'heure, il faut admettre que le choix n'est pas difficile à faire.

Et puis, présentement, ce mystérieux inconnu est la seule et unique bouée de sauvetage de Mélanie Lapierre.

Peut-être est-il même sa dernière chance de quitter vivante ce lieu sinistre!

Ce bel inconnu va l'aider.

Mélanie en est persuadée.

Chapitre III
La racine de vie

Pour se rendre chez l'étranger, le chemin est plutôt tortueux. Dans un cimetière, c'est toujours ainsi. Et celui-ci ne fait pas exception à la règle.

Tout d'abord, on longe une large avenue. On doit ensuite emprunter une foule de petits sentiers sinueux. C'est là que ça devient déroutant.

Au grand jour, Mélanie ne craindrait jamais de s'y promener ou de s'y perdre. Ce cimetière serait un bel endroit calme, reposant et même rassurant. Mais la nuit, ce bel endroit calme, reposant et rassurant se métamorphose en un lieu plutôt lugubre et inquiétant.

— Voilà, on est arrivés, lance l'étranger à Mélanie.

En apercevant cette cabane en bois rond toute peinte en noir, Mélanie en a froid dans le dos. Elle n'arrive pas à croire qu'une personne humaine normalement constituée puisse vivre ainsi dans un cimetière. Et puis, ce n'est rien pour la réconforter, elle ne voit aucune porte qui donne accès à cette demeure.

Au lieu d'avancer vers la cabane, Mélanie commence donc lentement à reculer. Voyant son hésitation, l'étranger se dirige vers une échelle de bois qui longe le mur de sa maison.

— Si l'on veut entrer chez moi, il faut escalader cette échelle. C'est comme dans une tombe, on y a accès seulement par en haut. Ici, dans ce cimetière, on n'a pas le choix, il faut entrer et sortir par en haut.

Mélanie veut bien faire un effort de compréhension, mais tout cela demeure inquiétant. C'est déjà inhabituel d'aller boire quelque chose chez un inconnu. S'il faut, en plus, escalader une échelle pour se rendre dans sa maison construite au beau milieu d'un cimetière, il y a de quoi paniquer.

— Pourquoi es-tu si blême? Je t'ai

pourtant dit que tu n'avais rien à craindre... Ah oui! au fait, quel est ton nom?

Il faut admettre que cet individu a le sens de l'observation. Mais «blême de peur», ces mots sont beaucoup trop faibles. Mélanie Lapierre est blanche d'épouvante. La gorge serrée, du bout de ses lèvres asséchées, elle arrive tout de même à murmurer son nom.

— Mélanie... Mélanie Lapierre, monsieur... Je voudrais vous dire que...

— Bon, lâche le *vous* et le *monsieur* et détends-toi, Mélanie. Si ça peut te rassurer, je ne suis pas un ignoble scientifique qui veut faire des expériences diaboliques sur le genre humain en général ou sur toi en particulier. Je ne suis pas, non plus, un vampire qui veut s'abreuver de ton sang. Non, je ne suis pas de cette race-là.

Tant bien que mal, Mélanie tente de dominer sa peur.

— Dès qu'on entrera chez nous, je te permets de fouiller partout, continue-t-il à expliquer. Tu verras bien que je ne cache pas de laboratoire secret, ni de longs couteaux de boucher, ni de scie tronçonneuse.

En entendant le mot tronçonneuse, Mélanie sursaute.

Elle n'avait pas songé à cette horrible possibilité. Au lieu d'aller en s'atténuant, son désarroi ne cesse de grandir. L'inconnu s'en aperçoit et tente de se faire encore plus rassurant.

— Mélanie, je te veux du bien, tout le bien du monde. Moi, je suis du côté des vivants, dans le souffle de la vie. Alors, avec moi, tu peux dormir tranquille.

Dormir tranquille, ce n'est sûrement pas le moment.

— Ah! et puis, avant que j'oublie... Moi, mon nom, c'est Fabien Tranchant. Appelle-moi Fabien, ça suffira... Moi,

Fabien, j'implore Mélanie de venir chez moi prendre une bonne boisson chaude. S'il te plaît, ça va te remettre les idées en place. Si tu acceptes, ça va me faire tellement chaud au coeur.

Malgré sa panique, Mélanie ne peut s'empêcher de se sentir en confiance avec ce Fabien Tranchant. Il lui est difficile de penser que ce jeune homme beau et charmant puisse être un ignoble dépravé. Et puis, il lui a promis de l'aider à s'enfuir de cet endroit infect.

En ce moment, Mélanie doit bien s'avouer qu'elle a un urgent besoin de croire en quelqu'un, de faire confiance à au moins une personne.

Elle se laisse finalement convaincre.

Tour à tour, Fabien et Mélanie escaladent l'échelle.

Aussitôt arrivé à l'intérieur de la maison, Fabien se dirige vers la cuisinette. Il fait bouillir l'eau afin de préparer sa fameuse boisson chaude. Il lave rapidement deux tasses qu'il vient ensuite déposer sur la table du petit salon.

Sans dire un mot, Mélanie observe les lieux. Elle recommence à réfléchir de plus belle au sort qui l'attend.

En revoyant l'affreux cadavre de tout à l'heure, un frisson d'horreur lui parcourt tout le corps.

Un sifflement.

L'eau bout.

Dans chacune des tasses, Fabien verse alors une cuillerée de poudre légèrement rosée. Il y ajoute ensuite l'eau chaude. En apercevant la couleur de la mixture, Mélanie a un geste de recul. Même si elle a soif, froid et confiance en Fabien, elle hésite à s'humecter les lèvres dans ce liquide devenu soudainement rouge vif.

— Voyons, Mélanie, je ne veux pas t'empoisonner. C'est de la racine de vie, j'en prends tous les jours. C'est la betterave et l'extrait de fraise sauvage qui donnent la couleur rouge vif à la tisane. Je t'assure que ce n'est pas de la poudre faite avec du sang frais de personnes humaines.

À ces mots, le regard de Mélanie a dû trahir un état momentané de panique.

Ce n'est pas passé inaperçu.

— Excuse-moi, Mélanie, si je t'ai encore fait peur. J'aime l'humour noir. Mais j'admets que le moment n'était peut-être

pas bien choisi. Écoute, la racine de vie, si ça peut te rassurer, je peux en boire avant toi.

Fabien porte la tasse à scs lèvres et prend plusieurs petites gorgées du liquide rouge vif.

— Cette tisane est aussi bonne et revigorante que d'habitude, lance-t-il à Mélanie avec un large sourire de satisfaction. Ça donne de l'énergie. Plus qu'un souffle, c'est une véritable tornade de vie!

Au tour de Mélanie de profiter maintenant des effets bienfaisants de la tisane.

De nouveau, elle hésite.

Non, elle n'arrive pas à se décider à

boire de la racine de vie. De toute façon, qui peut lui assurer que ce n'est pas de la racine de mort qui est dans sa tasse?

Ça résonne dans sa tête.

C'est un vieux proverbe des ancêtres qui orne maintenant les pages roses du *Petit Larousse*.

«Dans le doute, abstiens-toi.»

Son raisonnement est simple.

Même si ça ne paraît pas, Fabien Tranchant est peut-être déjà mort. Alors, il peut absorber tous les poisons qu'il veut, ça ne change rien à sa condition. Tandis que jusqu'à preuve du contraire, Mélanie est encore bien vivante et en pleine santé.

En tout cas, en pleine santé physique. Pour l'équilibre mental, elle ne miserait présentement pas trop là-dessus.

Non, elle ne doit pas goûter à cette tisane.

Mais en même temps, il ne faut pas qu'elle insulte Fabien.

Elle prend la tasse et s'humecte les lèvres légèrement. De racine de vie ou de racine de mort, c'est selon les versions.

Elle utilise ensuite une tactique de diversion.

— Fabien, tu vas m'aider à sortir d'ici.

— Quoi, Mélanie, on vient à peine de se connaître et tu veux déjà t'en aller? lui répond alors Fabien, tout déçu.

— Non, non, ce n'est pas toi... oh! non, non, non... ce n'est pas toi que je veux quitter. C'est plutôt cet endroit, tu comprends... Ce cimetière, ce lieu, ça devient sinistre à la longue... J'aimerais mieux, j'aimerais mieux... disons... rentrer chez moi... retrouver mes parents, mes amies, mon frère... Je *voudr*...

Au milieu de la phrase de Mélanie, on entend un bruit violent qui vient de l'extérieur. À n'en pas douter, quelqu'un est en train d'escalader l'échelle qui mène à la maison de Fabien.

D'un coup, Fabien perd alors toute sa bonne humeur.

Pris d'une extrême nervosité, il se lève brusquement, s'accroche dans sa tasse et en renverse le contenu. Le liquide rougeâtre se répand aussitôt sur le plancher du salon. Fabien Tranchant ne se préoccupe pas du dégât. En toute hâte, il s'approche de Mélanie et lui glisse à l'oreille:

— Vite, vite, tu dois te cacher. Il ne faut surtout pas qu'il te voie ici. Suis-moi, je t'expliquerai plus tard.

Sans autre précision, Fabien entraîne alors Mélanie vers sa chambre.

— Ne bouge pas d'ici avant que je revienne te chercher. Et surtout, pas un mot, pas le moindre bruit. Par mesure de prudence, je dois t'enfermer à clé. Il ne faut absolument pas qu'il sache que tu es ici. Alors, fais-moi confiance. Je reviendrai te délivrer aussitôt que possible.

Mélanie n'a même pas le temps de poser une seule question que Fabien a déjà tourné la clé dans la serrure de la porte. Elle est maintenant devenue prisonnière dans une chambre qui lui semble, à première vue, aussi sinistre qu'un donjon.

Elle essaie de comprendre.

Prisonnière, mais de qui au juste?

De Fabien Tranchant? Du visiteur qui rend Fabien si nerveux?

Prisonnière, mais de quoi au juste?

Du cimetière? D'un affreux cauchemar? D'une simple hallucination?

Même si elle en a le goût, Mélanie se rend bien compte que ce n'est pas le temps de pleurer. Et puis, d'après les recommandations de Fabien, elle doit rester silencieuse.

Et ce Fabien Tranchant, est-il vraiment

au-dessus de tout soupçon?

Trop de doutes, elle croule par terre.

Lentement, ses yeux commencent à s'habituer au noir de cette chambre. Il n'y a aucune fenêtre qui laisse pénétrer la lumière étincelante de la pleine lune.

Un vrai donjon!

En face de la porte, sur le mur, elle voit la photo d'un immense soleil phosphorescent. Juste de regarder ce soleil réussit à réchauffer le coeur de Mélanie.

Elle en a bien besoin, elle est tellement désemparée.

Chapitre IV
Qui mourra verra!

À un moment donné, dans la pièce voisine, le ton monte et vient tirer Mélanie Lapierre de sa torpeur.

Elle se faufile délicatement vers la porte. Elle veut entendre ce qui se raconte dans le salon de Fabien Tranchant. Si on parle d'elle, elle préfère le savoir.

— Mon cher Fabien, on t'a pourtant déjà averti plusieurs fois. En aucun cas, tu ne dois aider les vivants à rester en vie. On ne t'ordonne pas de leur donner la mort. Non, on comprend ta grande sensibilité et ta profonde sympathie pour la cause des vivants.

C'est une voix d'homme qui s'exprime ainsi. Une voix rauque et carrément déplaisante. Même si elle n'a jamais entendu de voix d'outre-tombe, Mélanie est sûre que cette voix provient directement de là.

— Ta mission, tu le sais très bien, c'est de nous livrer la vie. Après coup, on en fait notre affaire. Et tu connais la légendaire efficacité du C.G.M. Au Comité des griffes de la mort, plus le temps passe et plus on est efficaces.

Le Comité des griffes de la mort?

Mélanie veut voir l'allure de la personne qui s'entretient avec Fabien.

Des yeux, elle fait alors rapidement le tour du mur et de la porte.

Une fissure, si infime soit-elle, pourrait lui permettre de voir ce qui se passe dans l'autre pièce. Malheureusement, il n'y en a aucune. Il lui reste à explorer le trou de la serrure.

Depuis la nuit des temps, cette technique d'espionnage s'est toujours avérée des plus efficaces. Encore une fois, elle fait ses preuves. Mélanie ne tarde pas à apercevoir le visiteur à la voix si éraillée et si désagréable.

Il lui apparaît dans toute son horreur.

C'est bien l'ignoble cadavre aux plaies purulentes qu'elle a failli aller rejoindre dans la tombe. C'est le grand virtuose des

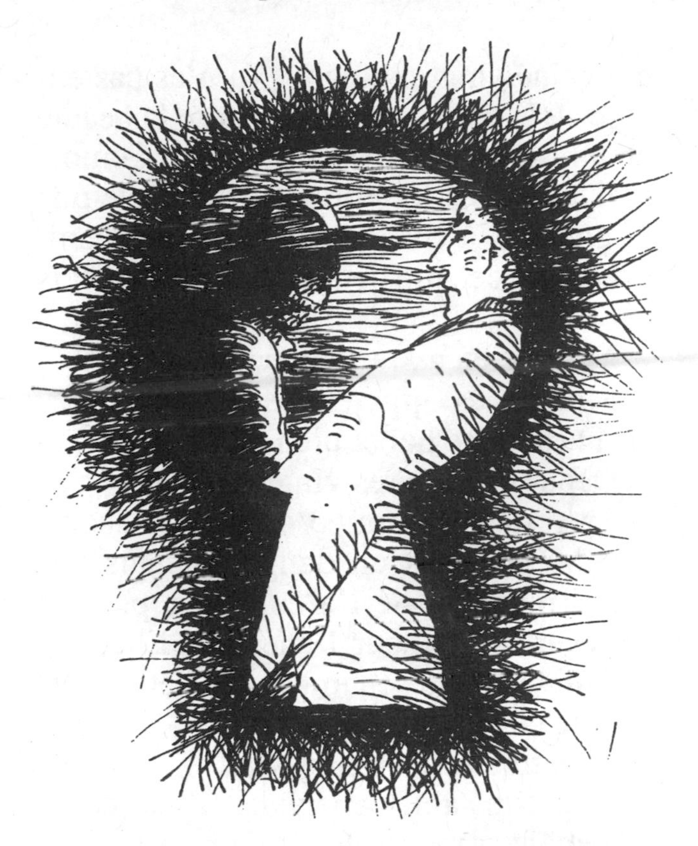

gémissements qui a tenté de l'entraîner dans son piège macabre.

C'est bien lui, en restants de chair et en fragments d'os.

L'horrible voix continue son discours.

— Fabien, je comprends que tu puisses encore avoir la nostalgie de la vie. Ta mort est beaucoup trop récente, elle date d'à peine vingt-cinq ans. Tu n'as pas encore eu le temps de comprendre la beauté grandiose et durable de la mort. Comme moi, quand ça fera presque un siècle que tu goûteras à cet intense plaisir, tu comprendras ce que je veux dire. Tu sais que...

Mélanie en a assez entendu.

Malgré les apparences, Fabien Tranchant est donc bel et bien mort.

Depuis à peu près vingt-cinq ans.

En restant enfermée dans cette chambre, Mélanie est en danger. Jamais Fabien Tranchant ne l'a enfermée pour la protéger! Mais pour l'anéantir! Elle doit s'enfuir de cette chambre, de cette maison, de ce cimetière maudit!

Vite, très vite, au plus vite!

Pour l'instant, cependant, il est complètement impossible de fuir ce lieu. Il n'y a aucune fenêtre par laquelle Mélanie puisse s'échapper. Non, la seule issue est la porte de la chambre et Fabien l'a fermée à double tour.

Resté silencieux jusque-là, Fabien Tranchant se décide finalement à répondre.

— La mort, la mort, vous ne parlez

que de ça dans ce cimetière maudit. Moi, je venais à peine de commencer à vivre. C'est tellement injuste, injuste... Personne ne me fera jamais avaler que la mort est belle. Non, jamais au grand jamais!

En entendant cela, Mélanie Lapierre faillit applaudir, mais elle se retint.

— Non, reprit Fabien, la beauté, mon cher Macchabée, c'est dans la vie qu'elle se trouve, cette chère et unique vie qu'on n'avait pas le droit de m'arracher aussi vite. Je voulais vivre, moi. Pendant tout un siècle, pas durant seulement vingt ans.

Au salon, le ton vient encore de monter d'un cran. Mélanie entend alors le macabre Justin Macchabée reprendre la parole.

— Tu te trompes, jeune prétentieux. C'est la vie qui est injuste et laide. Ce sont les vivants qui font les guerres, pas les morts. Nous, on n'a qu'à tendre les bras et à accueillir les nouveaux arrivants. La mort, rien n'a jamais été plus juste et plus beau que ça. De toute façon, tu verras bien par toi-même. Mais à la longue, mon cher Fabien, à la longue...

— Je me tue à vous dire que jamais je n'aimerai la mort, le coupe alors Fabien en montant d'un cran le ton de sa voix.

— C'est le dernier avertissement que le C.G.M. te donne, reprend aussitôt l'abominable Justin Macchabée. Le Comité des griffes de la mort t'ordonne de faire ton devoir et de nous livrer la jeune fille qui erre présentement dans notre cimetière. Elle ne doit pas sortir vivante de notre territoire.

En entendant cette phrase, un frisson d'horreur parcourt tout le corps de Mélanie. Justin Macchabée a appuyé sur chacun des neuf mots de sa condamnation à mort.

— Sinon, Fabien Tranchant, tu sais ce qui t'attend: les six prochains mois, tu les passeras sous terre à la merci des vers et de l'ennui. Sans la moindre permission de sortir ou d'entrer en contact avec des visiteurs. Et encore moins avec des vivants, comme on te le permet maintenant.

Après un court instant de silence, l'odieux porte-parole du C.G.M. complète sa pensée.

— C'est à toi de décider, mon cher Fabien. Après tout, tu es libre de faire ce que tu veux.

L'ignoble lâche.

Mais Mélanie n'avait pas encore tout entendu.

— Et puis, la jeune fille, elle doit venir nous rejoindre au plus vite. Tu m'entends, au plus vite. La mort, mon cher Fabien, il n'y a que ça de bon dans la vie! Pourquoi priver cette fille encore longtemps d'un si intense plaisir? Pour son plus grand bien, elle doit maintenant plonger dans les délices de la mort.

Mélanie a le goût de crier: «Non, merci.»

Au même moment, son indignation cède la place à une légère défaillance. Avec ce qu'elle vient d'entendre là, il est clair que son heure a maintenant sonné.

Jusque-là, de sa courte vie, Mélanie n'a jamais envisagé de mourir aussi vite. Les autres, tous les autres allaient mourir, mais pas elle. Mourir avant d'avoir eu le temps de vivre!?!

Le cauchemar va sûrement se terminer bientôt.

Pourtant, la triste réalité lui revient. C'est ce Justin Macchabée de malheur qui se charge de la ramener les deux pieds sur terre.

— Qu'elle le veuille ou pas, cette imbécile de vivante va venir nous rejoindre sous terre. Nous, les seuls, les uniques qui sommes vraiment éternels.

À ces mots, Mélanie sent un frisson d'horreur lui parcourir tout le corps. Malheureusement pour elle, Justin Macchabée n'a pas fini son ignoble discours.

— Pauvres vivants, ils me font pitié quand je les vois s'accrocher à leur vie qui ne tient qu'à un fil, un pauvre petit fil aussi mince et étroit que leur esprit. Nous allons lui couper le petit fil, à la jeune intrépide. Tu fais exactement comme la dernière fois, d'accord, Fabien?

Il s'ensuit un silence inquiétant.

Qu'attend donc Fabien pour répondre à Justin Macchabée, pour continuer à lui crier son indignation?

Comme la dernière fois...

Qu'est-ce qu'a fait Fabien Tranchant, la dernière fois?

— Qui mourra verra! ajoute ensuite Justin Macchabée pris tout à coup d'un rire sadique.

Maintenant, dans la tête de Mélanie, tout se bouscule à un rythme affolant. En deux temps, trois mouvements, elle doit élaborer une stratégie défensive. Même contre Fabien. Il a beau être charmant, Mélanie Lapierre ne doit jamais oublier qu'il est mort. Fabien Tranchant fait aussi partie de l'abominable race des morts vivants.

Une hypothèse surgit alors dans son esprit.

Les affreux cadavres de ce cimetière se servent de Fabien Tranchant pour entraîner des vivants dans la mort. C'est pour cette raison qu'ils lui permettent de garder un corps intact.

C'est sûrement leur pacte.

Même s'il est mort depuis presque vingt-cinq ans, Fabien n'a rien d'un monstre squelettique. En retour de l'exceptionnelle permission qu'on lui accorde, il doit livrer des vivants au Comité des griffes de la mort.

Pendant qu'elle songe à cet horrible scénario, Mélanie entend Fabien Tranchant murmurer d'une voix hésitante:

— D'accord, d'accord... ça va, ça va... j'ai compris. Mais c'est la dernière fois que je fais ça.

Tout est maintenant clair.

Et terriblement affolant!

Mélanie Lapierre s'enfuit vivement sous le lit.

Le temps de ramasser ses idées!

Et peut-être de profiter de ses derniers instants de vie.

Emprisonnée, emprisonnée dans son horrible réalité.

Chapitre V
Sauver sa peau

Sous le lit, Mélanie Lapierre essaie désespérément de combattre l'engourdissement qui envahit son corps. De toutes ses forces, elle tente de lutter contre cette affreuse peur qui risque encore de la neutraliser.

«Si je deviens impuissante et passive, le Comité des griffes de la mort aura alors la tâche bien facile.»

Mourir de peur?

Non, jamais!

«Mais si je tiens tant que ça à ma vie, je dois être prête à la défendre jusqu'à la dernière goutte de mon sang.»

C'est évident que Mélanie ne souhaite pas se rendre jusqu'à cette extrémité. Elle préfère toutefois se préparer à toutes les éventualités, y compris celle d'avoir à se battre férocement.

Elle peut mordre.

«Cette arme redoutable saura sûrement dissuader même les morts vivants les plus sanguinolents qui oseront s'attaquer à moi.»

En s'imaginant mordre dans des cadavres, Mélanie Lapierre est soudainement prise d'une nausée.

Et puis, dans ses cours d'autodéfense, elle a appris à se servir de ses pieds, de ses mains et de sa tête. La mort a peut-être des griffes terrifiantes, mais Mélanie n'a pas l'intention de se laisser anéantir facilement.

Non, il est très important de rester vigilante.

Vigilante et combative!

Dans l'autre pièce, Mélanie n'entend maintenant plus rien.

Silence glacial et inquiétant!

Si Justin Macchabée est parti, Fabien Tranchant ne devrait maintenant plus tarder. Bientôt, elle pourra sortir de cette chambre humide et macabre.

Sortir, l'hypothèse la plus irréaliste.

Demeurer prisonnière des griffes de

Justin Macchabée pour qu'il l'exécute froidement, le scénario le plus probable.

À la pensée qu'elle doive très bientôt passer à l'action, Mélanie devient fébrile et nerveuse. C'est alors qu'elle entend une clé glisser dans la serrure et la porte s'ouvrir aussitôt.

Ne voyant pas Mélanie tout de suite, Fabien la cherche. De sa voix toujours aussi rassurante, il lui dit:

— Viens, Mélanie, tu peux maintenant sortir de ta cachette. Mon visiteur indésirable est parti.

Mélanie ne se fait pas prier pour obéir.

Sans Justin Macchabée dans les pattes, son plan sera encore plus facile à exécuter.

Avec la rapidité de l'éclair, elle bondit vers la porte. Au passage, elle bouscule Fabien. Ensuite, elle escalade l'échelle qui la conduit dehors.

Quand Mélanie entend Fabien crier, elle est déjà loin de son humide chambre-donjon. Dans l'écho de sa voix, elle croit comprendre qu'il l'implore de revenir.

— ... ne fais pas ça, Mélanie... ne fais pas ça, je suis ta seule chance, je suis ton allié.... Reviens...*rev*...

Mais que peut-elle faire d'autre que de s'enfuir?

Elle est condamnée à mort. Y compris par Fabien qui lui crie pourtant qu'il est son allié.

«Un allié plutôt douteux», se dit Mélanie!

Elle s'en veut d'avoir cru le beau discours de Fabien.

«Ah! que je suis naïve! pense-t-elle. À la première menace du Comité des griffes de la mort, ce vil traître est prêt à me livrer, pieds et poings liés.»

Mélanie se sauve à grandes enjambées.

Elle n'a pas l'intention de mourir et d'aller rejoindre les membres du Comité des griffes de la mort. Dans ce cimetière, c'est leur droit de trouver passionnant le fait de pourrir dans la terre.

Mais pour Mélanie, c'est tout réfléchi.

Et c'est non, merci!

Elle a des tas de projets qui lui tiennent à coeur.

Pour les réaliser, elle doit rester vivante.

Bien vivante!

Telle une forcenée, portée par une toute nouvelle énergie, Mélanie fonce maintenant vers l'horizon libérateur.

Elle a l'intention de déjouer les plans sordides de Justin Macchabée.

L'essentiel, se fier à elle-même.

Maintenant, de chaque côté de Mélanie, des dizaines de pierres tombales défilent. Toujours en ligne droite, en courant sans relâche, elle finira sûrement par atteindre les limites de ce foutu cimetière. À un moment donné, quelques-unes des cinq milliards de personnes qui vivent sur la planète Terre finiront bien par se montrer le bout du nez.

Dans sa fuite effrénée, elle devient euphorique. L'adrénaline lui inonde le cerveau.

Elle veut, elle doit se persuader qu'elle est sur la bonne voie, la voie royale de la vie. Et qu'elle fuit désespérément la mort.

Mais rien à faire, elle se met à hésiter.

Ses enjambées n'ont plus l'ampleur qu'elles avaient au début de sa fuite. Elle sent son corps qui commence à s'alourdir. Son ralentissement n'a cependant rien à voir avec la fatigue. Au contraire, elle pourrait courir encore longtemps sans pour autant se sentir épuisée.

Ses craintes sont ailleurs.

Panique au cimetière

Tout à coup, un doute s'empare de son esprit: Mélanie Lapierre a nettement l'impression de reconnaître certaines pierres tombales. Leurs formes lui sont familières; elle est convaincue de tourner en rond. Au lieu d'avancer ou de reculer, Mélanie Lapierre tourne inexorablement en rond.

Une ronde macabre.

Courir, c'est bien beau, mais il faut espérer atteindre son but. Sinon, le moral en prend un dur coup.

Mélanie décide donc de ralentir sa course.

Elle en profite aussi pour jeter un coup d'oeil derrière elle. Elle cherche désespérément des points de repère auxquels s'accrocher.

Avancer, reculer ou tourner en rond... elle doit absolument savoir ce qu'elle fait.

Suprême malchance!

Des nuages envahissent le ciel. Les pierres tombales deviennent difficiles à identifier. Privée du reflet de la pleine lune, la nuit est maintenant noire et sinistre.

Désespérée, Mélanie implore alors les astres:

«Lune, réapparais, j'ai besoin de tes rayons dans ma nuit noire! De tes rayons lumineux. De tes chauds rayons. De ton énergie lumineuse.»

Mélanie a hâte de retrouver la lumière, la chaleur de la vie. Pour ça, elle doit fuir les ténèbres, la froideur de la mort.

Ces pensées lui fouettent les sangs et lui redonnent du courage. Elle reprend alors sa course endiablée de plus belle.

Dans la nuit noire, elle bondit. Investie d'une toute nouvelle énergie, elle vole allègrement vers un horizon rempli de promesses.

Brusquement, Mélanie perd pied.

Elle tombe dans le vide.

Le vertige.

Un grand trou.

Qu'est-ce qui lui arrive?

Profitant de la noirceur totale, les griffes de la mort viennent-elles de la frapper?

Heureusement, sa chute est brève.

Mélanie se retrouve aussitôt au fond d'un trou humide. De chaque côté d'elle, des murs de terre. Au même moment, dans le ciel, elle aperçoit la pleine lune qui refait son apparition.

Elle a une vue imprenable sur l'astre

redevenu lumineux. Étendue sur le sol, dans un trou de deux mètres de profondeur, Mélanie peut maintenant contempler à sa guise la pleine lune qui brille.

En même temps, elle peut aussi s'horrifier d'une autre vision beaucoup moins poétique. Autour du trou où elle vient de plonger, elle aperçoit des pelles qui ont déjà commencé à l'asperger de belle terre humide.

Vision cauchemardesque!

Pas le moindre doute, on veut l'enterrer vivante.

Mélanie doit se défendre.

Mais comment faire?

Chapitre VI
À la vie, à la mort!

Pendant que Mélanie Lapierre se débat et crie à pleins poumons, les membres du C.G.M. semblent bien s'amuser.

— Si tu te souviens de tes prières, jeune fille, fais-les. Le Comité des griffes de la mort m'a chargé de la Mission 1980-1992 Lapierre Mélanie. Si ça peut te rassurer, je ne rate jamais mon coup. Jamais, tu m'entends, jamais de la vie. J'aime le travail bien fait, mais surtout, surtout... le travail vite fait. Même les missions les plus délicates, je les réussis toujours à la perfection. Pour moi, c'est une question d'honneur et de fierté.

Mélanie reconnaîtrait cette voix macabre entre toutes.

Il est donc inutile de se débattre et de crier.

Sauf l'épuiser, ça ne donnera rien.

Mélanie ne doit pas perdre son temps, non plus, à implorer Justin Macchabée de lui laisser la vie sauve.

— Je veux te faire apprécier la qualité de la bonne terre de ce cimetière, ajoute-t-il de sa voix enrouée et gémissante. Tu sais que c'est une des meilleures terres de la région, la plus riche en minéraux et en vermisseaux de toutes sortes. Tu es bien tombée, 1980-1992 Lapierre Mélanie.

Les pelles continuent à déverser dans le trou la bonne terre riche en minéraux et en vermisseaux de toutes sortes. Pour l'instant, afin de ne pas être aveuglée, Mélanie doit fermer les yeux.

— D'ici quelques heures, cette terre va commencer à te nourrir pour l'éternité. Comme nous, tu vas alors enfin goûter aux délices de la mort. Jouissances sublimes et éternelles te sont garanties, 1980-1992 Lapierre Mélanie. Dans notre cas, cependant, si la cliente n'est pas satisfaite, nous ne lui remboursons pas la vie.

Le laisser continuer son discours.

Ne pas réagir à ses propos sadiques.

Si Mélanie a la moindre réaction de peur ou de panique, elle sait que ça ne fera qu'augmenter le plaisir de Justin Macchabée de l'exécuter froidement.

— Tu sais, 1980-1992 Lapierre Mélanie, les vivants ne savent jamais où est leur bien. Ils ne sont pas doués pour le bonheur. Alors, nous, au Comité des griffes de la mort, on a décidé de choisir pour eux, de les forcer à être heureux. N'est-ce pas une noble mission que la nôtre?

L'odieuse crapule s'imagine-t-elle vraiment que Mélanie Lapierre va répondre à ça?

— Pour ton plus grand bien, tu vas donc faire un fabuleux voyage vers l'éternité. Au fond, tu sais, j'envie ta chance, 1980-1992 Lapierre Mélanie. Tout compte fait, tu n'auras pas perdu trop de temps chez les minables vivants.

L'infâme tyran!

Pour l'instant, le délire de Justin Macchabée, mort il y a déjà près d'un siècle, semble terminé.

De son côté, Mélanie n'en mène pas large.

La terre arrive maintenant de partout et s'amoncelle de plus en plus sur son corps replié. À ce rythme-là, les morts vivants auront sa peau dans peu de temps.

Dans sa tête, Mélanie entend résonner son numéro matricule.

Le fatidique 1980-1992... 1980-1992... 1980-1992... 198...

Elle doit chasser de son esprit l'écho lancinant de cette voix d'outre-tombe.

Au milieu de ce véritable enfer, elle perd tous ses moyens. Elle est prisonnière des griffes de la mort. Elle n'a aucune chance de s'en sortir.

Elle commence à étouffer, elle avale de la terre, de la boue, des minéraux, des vermisseaux...

Sa tête tourne, elle a le vertige, elle va s'évanouir.

Elle étouffe... étouffe... étouffe...

Si elle pouvait cesser de penser.

Plutôt réagir!

Avant tout, survivre!

L'énergie du désespoir. Au moins, vendre chèrement sa peau.

D'un coup, elle se ramasse en boule.

Elle devient une chatte qui se contracte devant un danger imminent. Mélanie Lapierre n'a pas l'intention d'être la grande vedette d'un enterrement de première classe.

Justin Macchabée, Mélanie Lapierre n'a encore rien dit.

Encore moins son dernier mot!

Les griffes de la vie peuvent aussi combattre.

Et elles vont le faire!

Mélanie se sert alors d'une de ses mains comme visière. Elle se protège les yeux contre la terre qui continue de s'abattre sur elle. À tout instant, elle risque d'être aveuglée. Cela pourrait lui être fatal.

Ainsi protégée, elle peut observer le mouvement des pelles.

Elle en guette spécialement une.

Le moment propice ne tarde pas à venir.

Soudain, elle bondit.

Elle réussit à attraper l'extrémité de la pelle du grand bavard de Justin Macchabée. D'un coup sec, elle tire de toutes ses forces. La plaque de fer de la pelle lui déchire les doigts, mais elle tient bon.

Peu importe la souffrance, elle ne doit pas lâcher. Il faut entraîner le macabre Macchabée avec elle, dans le trou, le trou de la mort. C'est sa dernière chance de s'en sortir vivante.

Justin Macchabée a beau tenter de résister, Mélanie profite de l'effet de surprise. Un autre coup sec et elle réussit. En tombant lourdement à ses pieds, Justin Macchabée vient la rejoindre dans le trou.

Les mains visqueuses du squelettique Macchabée essaient de s'accrocher à une des chevilles de Mélanie. Deux bons coups de pied suffisent à la libérer. Heureusement, elle n'a pas eu à le mordre.

Puis elle s'empare rapidement de la pelle qu'elle laisse retomber lourdement sur la tête du monstrueux cadavre. En trois bons coups, elle réussit à l'assommer.

Mélanie regarde ensuite vers le haut du trou.

Depuis que leur porte-parole est tombé à ses pieds, les autres membres de la meute infernale ont aussitôt cessé de jeter de la terre dans le trou. Éberlués, ils sont tous là à observer la scène. À deux mètres au-dessus de Mélanie Lapierre, la bande de morts vivants n'arrête pas de se lamenter et de gémir.

De sa voix la plus menaçante possible, Mélanie s'adresse alors au groupe des

Panique au cimetière

fidèles de Justin Macchabée:

— Si vous ne vous éloignez pas tout de suite, je dépèce votre Justin Macchabée. La pelle est assez pointue et je trouverai sûrement l'énergie qu'il faut pour le transformer en un casse-tête de mille morceaux que je vais répandre aux quatre vents. Ça va vous prendre au moins un siècle pour le reconstituer, si jamais vous y parvenez. Est-ce assez clair?

Au-dessus de sa tête, Mélanie entend qu'on discute fort. Le conciliabule ne dure cependant pas bien longtemps: le flot de lamentations et de gémissements s'éloigne lentement.

Mélanie a maintenant la voie libre.

Si elle ne veut pas moisir pour l'éternité aux côtés de la carcasse de Justin Macchabée, Mélanie ne doit pas s'attarder une seconde de plus dans ce trou humide et infect. Même si elle l'a assommé, le monstre ne restera pas inconscient éternellement. Les morts vivants ont la réputation de récupérer très vite.

De toute façon, Mélanie ne serait pas étonnée que ses hurluberlus de confrères soient partis chercher du renfort. Dans ce cimetière, ils ne doivent pas manquer de cadavres prêts à se sacrifier pour la noble cause du Comité des griffes de la mort.

Avec la pelle qui lui sert d'appui, à force de ténacité, Mélanie parvient à se hisser jusqu'en haut. Il est grand temps, car elle entend son ennemi juré gémir au fond du trou.

Justin Macchabée réussit même à lui saisir un pied. D'un violent coup de pelle sur la main, Mélanie arrive à se libérer de cette larve qui se met à rugir férocement.

Mélanie n'a pas le temps de reprendre son souffle.

Ni ses esprits.

À toute vitesse, elle s'enfuit.

Sans le savoir, elle court encore peut-être vers la mort.

Sa mort.

Fatalement.

Chapitre VII
Dans la gueule des loups

Dans sa fuite effrénée, Mélanie Lapierre regarde autour d'elle. Elle se sent alors soulagée de ne pas voir apparaître Justin Macchabée et sa horde gémissante de mercenaires sanguinaires. À part les pierres tombales qui jettent leur ombre peu rassurante sur le sol, elle n'aperçoit rien d'autre de bien menaçant dans les parages.

Du moins, pour l'instant!

Un silence de mort.

Quand Mélanie songe à tout ce qui gigote sûrement sous terre, elle trouve ce silence inquiétant.

Panique au cimetière

Elle se rappelle qu'elle doit mourir en 1992.

Par décret irrévocable de Justin Macchabée!

D'ailleurs, le Comité des griffes de la mort a déjà dû publier un avis de recherche la concernant. Dans les milliers de tombes de ce cimetière, on se prépare sûrement à pourchasser le numéro matricule 1980-1992 Lapierre Mélanie.

Tant qu'elle sera dans ce lieu sinistre, Mélanie ne doit pas se faire la moindre illusion. À la tête de ses troupes barbares, Justin Macchabée ne lui laissera aucun répit.

Bientôt, abominables et terrifiantes, les troupes vont surgir de partout. Armées de leurs haches, de leurs couteaux, de leurs rasoirs ou de leurs scies tronçonneuses.

Bientôt, elles feront sadiquement gicler tout le sang de Mélanie qui inondera les entrailles de la terre.

Bientôt, Mélanie Lapierre sera transformée en charpie et elle deviendra une masse informe et purulente. À son tour, elle traquera ensuite les êtres vivants.

Bientôt... bientôt... Mélanie Lapierre sera morte.

Morte et bien enterrée!

Destin cruel auquel elle ne peut échapper!

Mélanie Lapierre est maintenant une épave qui se prépare à devenir un cadavre.

À quoi bon continuer de lutter?

En effet, une personne vivante ne sera jamais de taille pour affronter une meute de morts vivants enragés.

Pas plus Mélanie Lapierre qu'une autre!

Elle est maintenant convaincue que son bourreau ne tardera pas à réapparaître. Quand elle songe qu'il faudra encore l'affronter, Mélanie a le goût de pleurer.

D'ailleurs, pourquoi s'en priverait-elle?

Brusquement, Mélanie s'arrête de courir. Elle se jette par terre, prend son visage dans ses mains et commence à pleurer.

À chaudes larmes.

Toute recroquevillée, Mélanie Lapierre attend passivement qu'on vienne la cueillir.

Il faut bien l'admettre, cette fois, elle manque de courage.

Honteusement.

Au bout de quelques minutes, elle doit cependant se rendre à l'évidence: Justin

Macchabée et les siens n'ont pas encore frappé. L'occasion était pourtant belle de s'emparer de leur victime. Désespérée, la pauvre Mélanie Lapierre gît dans l'herbe.

Peu à peu, Mélanie cesse de sangloter et entreprend de se relever du sol humide. Elle commence à mieux explorer son nouvel environnement. Un peu à sa gauche, au bout d'un petit sentier, elle aperçoit un immense caveau illuminé.

Enfin un lieu éclairé!

Et sûrement habité!

En s'approchant, Mélanie s'aperçoit que la grille menant au caveau est grande ouverte. Malgré une peur et une méfiance bien légitimes, elle se sent attirée par cet endroit. À l'intérieur de ces murs, elle a la conviction qu'on pourra enfin lui venir

en aide. Mélanie Lapierre s'accroche désespérément à cet espoir insensé.

Elle n'a vraiment plus rien à perdre.

Elle entre donc dans le caveau.

Après son passage, la grille ne se referme pas brutalement derrière elle. Signe encourageant, on ne cherche donc pas à l'enfermer. Jusqu'à présent, aucune manifestation d'hostilité à l'horizon.

Devant Mélanie, une flèche indique la direction à suivre.

D'un pas hésitant, elle entre donc dans le caveau. Pour s'y rendre, elle doit auparavant longer un étroit corridor. Elle se laisse guider par une flamme brillante qui scintille au bout du passage obscur.

Après une cinquantaine de pas dans le tunnel, elle se retrouve dans une grande pièce. Un rapide tour d'horizon lui permet aussitôt d'apercevoir une femme au-dessus d'une boule de cristal. Cette étrange personne murmure toutes sortes de formules incompréhensibles.

Sûrement des incantations diaboliques!

Mélanie doit s'enfuir.

Tout de suite!

Elle se rend compte trop tard qu'elle vient d'entrer dans le repaire d'une autre

Panique au cimetière

revenante démentielle. Une esclave de plus qui obéit aveuglément au monstrueux dictateur de ce cimetière.

Peut-être Mélanie est-elle déjà dans le palais sépulcral de Justin Macchabée!? Là où le tyran doit torturer et affaiblir ses victimes trop farouches avant de les immoler froidement.

Quand Mélanie Lapierre va-t-elle donc cesser d'être aussi naïve?

À la première occasion, tout ce qu'elle arrive à faire, c'est se jeter dans la gueule des loups.

— Je vous attendais impatiemment, jeune fille. N'ayez pas peur. Si vous m'écoutez, votre cauchemar se terminera bientôt. Approchez-vous de moi et n'ayez crainte, je ne suis pas une alliée de Justin Macchabée. Non, je serais plutôt du côté de la vie.

Mélanie a la nette impression de connaître cette voix. Elle est persuadée de l'avoir déjà entendue quelque part.

Mais où?

Sa peur, Justin Macchabée, le cauchemar qu'elle traverse, du côté de la vie? Comment cette femme a-t-elle pu deviner tout ça? Se pourrait-il que Mélanie

Lapierre ait enfin déniché une véritable complice de vie dans cette masse de revenants obsédés par la mort?

Ça résonne dans sa tête.

«Fais attention, Mélanie Lapierre. Souviens-toi de Fabien Tranchant. Lui aussi prétendait être du côté de la vie. Malheureusement, il n'a pas su tenir ses promesses. Cette femme est pleine de bonnes intentions, mais il ne faut jamais sous-estimer le pouvoir de Justin Macchabée. Personne ne semble pouvoir résister à l'affreux tyran de ce cimetière.»

Mélanie doit continuer à se méfier.

— Approchez, approchez, jeune fille, je vais vous prédire votre avenir, reprend la femme à la longue tunique.

Mélanie tient-elle vraiment à connaître le sort qui l'attend?

— Venez, venez, je vais vous montrer quelque chose qui peut changer votre vie. Plus près, plus près de moi... Oui, oui, c'est ça, tout près de moi...

Bien que méfiante, Mélanie vient s'asseoir près de l'étrangère. De sa voix apaisante, la femme lui murmure alors à l'oreille:

— La vie, il n'y a rien de plus beau,

n'est-ce pas, Mélanie Lapierre?

Il y a quelque chose qui cloche dans cette voix. Ces intonations semblent tellement familières à Mélanie.

Ça y est, Mélanie Lapierre vient de reconnaître la voix.

Il n'y a plus aucun doute, c'est la voix de Fabien Tranchant. Mélanie Lapierre est redevenue prisonnière de cet infâme traître.

Elle bondit aussitôt de sa chaise en criant:

— Tu n'es qu'un traître et un menteur, Fabien Tranchant. Un vil traître et un odieux menteur à la solde du sanguinaire Justin Macchabée!

Elle se dirige ensuite vivement vers l'étroit passage qui mène à la sortie du caveau.

— C'est ça, Mélanie, sauve-toi, sauve-toi vite, lance alors Fabien. J'ai glissé le plan du cimetière dans la poche arrière de ton pantalon. Sans ce plan, tu ne pourras jamais sortir vivante des griffes de la mort.

Mélanie vérifie et constate qu'il y a bien un morceau de papier dans la poche arrière de son pantalon.

— Tu sais, Mélanie, je ne t'ai jamais trahie. Quand j'ai accepté de te livrer à Justin Macchabée, c'était une astuce. Je voulais le rassurer et l'éloigner de chez moi pour pouvoir te sauver ensuite. Mais tu ne m'as pas laissé le temps de t'expliquer.

Mélanie veut bien croire Fabien.

Mais comment pouvait-elle deviner que toute cette mascarade était une astuce de sa part?

Puis, d'une voix rendue caverneuse par l'écho de l'immense caveau, Fabien Tranchant se met à chanter:

Déchire du cimetière le plan
et lance-le aux quatre vents.
Ainsi tous les morts vivants
deviendront à jamais absents.

Finalement sortie du caveau, Mélanie fouille dans la poche arrière de son pantalon. Elle constate avec étonnement que le morceau de papier est bien le plan du cimetière.

Mélanie a quand même appris à se méfier de sa naïveté. Ce plan est peut-être un nouveau piège de Justin Macchabée pour qu'elle retourne se jeter dans la gueule des loups.

Encore une fois!

Il n'y a rien à perdre à aller vérifier.

En suivant le plan à la lettre, Mélanie réussit à s'enfuir du cimetière par la sortie la plus proche. Celle qui est normalement réservée aux fossoyeurs.

Fabien Tranchant ne lui avait donc jamais menti.

Quelle grande loyauté!

À sa manière, il luttait pour protéger les vivants des griffes de la mort. En pleine euphorie, Mélanie songe alors à retourner au cimetière pour aller remercier Fabien Tranchant, son fidèle protecteur.

Cependant, Mélanie Lapierre juge que ce ne serait pas prudent de retourner au cimetière. Elle n'a pas le goût de se retrouver nez à nez avec Justin Macchabée et sa troupe macabre.

Comme le lui a si bien recommandé son fidèle complice, Mélanie déchire ensuite le plan de ce cimetière diabolique. Avec un plaisir évident, tout en chantonnant, elle en répand ensuite les morceaux aux quatre points cardinaux.

Déchire du cimetière le plan
et lance-le aux quatre vents.
Ainsi tous les morts vivants
deviendront à jamais absents.

Mélanie Lapierre se sent heureuse.

Heureuse et fière d'elle!

Heureuse d'avoir vaincu le diabolique Justin Macchabée!

Heureuse et fière d'avoir fait disparaître à jamais le monstrueux Comité des griffes de la mort!

Fin

Épilogue
La nuit blanche des morts vivants

— Stéphanie... Stéphanie... il est assez tard. Éteins la lumière et couche-toi.

— Oui, oui, papa, je viens de finir mon roman et je me couche tout de suite. Mais ce soir, je vais quand même garder une lumière allumée.

— Bonne nuit, Stéphanie.

— Bonne nuit, papa.

Le père de Stéphanie Perrault se doute bien de ce qui se passe encore dans la tête de sa fille.

Au bout d'une demi-heure, il se rend dans la chambre de Stéphanie pour éteindre la lumière. Sur la table de chevet, il en était sûr, il aperçoit un roman.

Panique au cimetière de Blanche Dépouvante.

La veille, il s'était produit la même chose. Après avoir terminé *La vengeance des araignées blessées,* Stéphanie avait dû s'endormir avec la veilleuse allumée. Quelques jours plus tôt, *Les ténèbres de l'horreur* et *Terreur au musée* avaient eu le même effet.

Toujours des romans de cette Blanche Dépouvante.

Immobile, à côté du lit, le père de Stéphanie sourit à sa fille maintenant endormie. En se penchant pour lui donner un tendre baiser sur le front, il lui murmure:

— Malgré tout, ma fille, fais de beaux rêves.

Ensuite, il éteint délicatement la veilleuse.

Puis il retourne au salon regarder le film *La nuit blanche des morts vivants* qu'il vient tout juste de louer au club vidéo.

Bertrand Gauthier

LES GRIFFES DE LA PLEINE LUNE

Illustrations
de Stéphane Jorisch

la courte échelle

Prologue
Un souvenir en forme de brrrrrr...!

Depuis bientôt un mois, une folle idée ne cesse de hanter l'esprit de Mélanie Lapierre: elle veut retourner au milieu des pierres tombales. Rien à faire, malgré des efforts soutenus, la jeune fille n'arrive pas à chasser de son esprit ce projet insensé.

Mais d'où vient donc cette véritable obsession?

À la dernière pleine lune, Mélanie Lapierre s'est perdue dans un cimetière. Sans l'aide précieuse de Fabien Tranchant, ce mort vivant aussi courageux que téméraire, Mélanie n'aurait jamais pu s'en sortir indemne.

Non, jamais, au grand jamais, elle ne serait parvenue à se libérer de l'emprise despotique de Justin Macchabée, la plus atroce des créatures mortes vivantes à hanter le cimetière. Et depuis cette nuit fatidique, Mélanie Lapierre juge que c'est maintenant à son tour d'aller libérer Fabien Tranchant de l'odieux Justin Macchabée.

Ce n'est pourtant pas aussi simple.

Jusqu'ici, le souvenir cauchemardesque des morts vivants a toujours réussi à ralentir les ardeurs de Mélanie Lapierre. Elle ne veut pas prendre le risque de se

retrouver entre les griffes de cette meute sanguinaire. Pas plus d'ailleurs qu'elle ne désire redevenir prisonnière de leur chef, l'horrible Justin Macchabée!

Une fois suffit.

Mélanie courageuse? Sans doute!

Mélanie naïve? Sûrement un peu!

Mais tout de même pas au point de nier le danger qui la guette si jamais... si jamais elle décide de retourner au cimetière.

Aussi débrouillarde et valeureuse soit-elle, Mélanie sait bien qu'une jeune fille de douze ans n'est pas de taille à livrer un tel combat. Quand il s'agit d'affronter un bataillon complet de morts vivants abominables, il est évident que le courage ne suffit pas.

Et puis, inutile de le cacher, Mélanie Lapierre est plutôt inquiète du sort qu'on a réservé à Fabien Tranchant.

Ce dernier ne devait-il pas exécuter froidement les ordres qu'on lui avait donnés? N'avait-on pas brutalement commandé à son intrépide sauveur de remettre Mélanie Lapierre à l'ignoble Comité des griffes de la mort? Sa mission n'était-elle pas de livrer ladite jeune fille, pieds et poings liés, au tortionnaire et sadique Justin Macchabée?

Mais n'écoutant que son courage, Fabien Tranchant n'a jamais suivi la moindre de ces instructions. Au contraire, en aidant Mélanie à s'enfuir, il a désobéi à l'implacable Macchabée et à son fidèle Comité de loques putrides et sanguinolentes. Avec raison, Mélanie Lapierre a peur qu'on veuille se venger de Fabien.

Pour ne pas avoir livré sa proie, son brave Fabien devra sûrement payer cher, très cher même...

Sa proie...

À ce mot, Mélanie se met à frissonner.

Après tout, la proie à livrer, c'était bien elle, Lapierre Mélanie, en chair et en os. Elle qui portait le fatidique numéro matricule 1980-1992! Elle dont le nom était déjà gravé dans le marbre froid et veineux d'une pierre tombale!

Même son nouvel habitat était creusé: à quelques mètres sous la terre humide, quelques milliers de vermisseaux se réjouissaient à l'idée de l'accueillir dans leur ventre.

L'affreuse dégustation!

Brrrrrr...!

L'horrible souvenir!

Dans la tête de Mélanie, les idées se bousculent maintenant à un rythme infernal. Elle croit même entendre une voix grave lui crier rageusement:

«Mélanie Lapierre, tu es une vraie lâche, la pire des lâches..., Mélanie Lapierre, tu es la plus grande..., vraiment la plus grande poule mouillée que la terre ait jamais portée...»

Une voix insistante et caverneuse qui ressemble d'ailleurs étrangement à celle de Fabien Tranchant. Mélanie Lapierre souhaiterait tant pouvoir tout expliquer à son audacieux sauveur.

«Fabien, je ne peux pas, tu comprends... Je ne me sens pas de taille à affronter... cette meute sanguinaire qui veut sûrement se venger de toi... Je suis peinée, vraiment peinée..., mais même si j'essayais, je n'y arriverais pas, c'est au-delà de mes forces... Tu comprends, Fabien... J'espère que tu vas comprendre... Tu dois me comprendre..., comprendre..., comprend...»

— ... Mélanie, peux-tu répondre à cette question?

En entendant ainsi son nom, Mélanie Lapierre sursaute.

— Comprendre..., comprendre..., pardon..., pardon, monsieur..., la quoi...? La question...? Mais quelle question au juste, monsieur...?

— Encore distraite, Mélanie...? Je ne sais pas ce qui t'arrive, mais il me semble que depuis quelque temps, tu es très souvent dans la lune. Mélanie, peux-tu bien me dire ce qui se passe?

Mélanie Lapierre n'ose pas répondre, car ce serait trop difficile à expliquer. Et puis elle sait bien que M. Moreau-Guerrier a raison. Au cours des dernières semaines, elle a été profondément distraite. Ce n'est cependant pas par manque d'intérêt, c'est plutôt le contraire. Mélanie adore le jeu des capitales que son professeur aime bien leur proposer de temps en temps.

— Bon, je vais répéter ma question, reprend alors M. Moreau-Guerrier, ce passionné de géographie. De quels pays Oslo, Quito, Tōkyō, Mexico et Togo sont-elles les capitales?

Il a à peine le temps de finir sa question que la cloche se fait entendre. Dans un indescriptible brouhaha, toute la classe est debout.

Mélanie Lapierre aurait donc pu se

contenter d'être sauvée par la cloche. Mais elle ne tient pas à remporter ce genre de victoires trop faciles. Pendant que les élèves se précipitent vers la sortie, Mélanie crie donc à son professeur:

— De la Norvège, de l'Équateur, du Japon et du Mexique. Pour ce qui est du Togo, monsieur Moreau-Guerrier, ne comptez pas sur moi pour tomber dans le panneau.

Tout le monde est maintenant dehors.

Y compris Mélanie Lapierre!

L'école est bien finie.

Du moins pour aujourd'hui!

Chapitre I
Adieu, Mélanie!

Dix-sept heures!

Mélanie est maintenant devant la porte de chez elle.

Inutile de sonner!

Elle voit bien que la maison est déserte. Ses parents ne sont pas encore rentrés de leur travail. D'ailleurs, ils reviennent rarement à la maison avant dix-huit heures.

Après avoir déposé son sac d'école, Mélanie Lapierre ramasse le courrier près de la porte d'entrée.

Enfin!

Dans la pile, il y une lettre pour elle! Mélanie songe alors à sa correspondante de France.

— Il est temps qu'elle me donne des nouvelles, s'écrie Mélanie, en se dirigeant vers le réfrigérateur. En tout cas, on peut dire qu'elle porte bien son nom, cette Marie-Claire Latortue, ajoute Mélanie en se versant un grand verre de lait.

Il y a déjà plus d'un mois que Mélanie Lapierre a écrit à Marie-Claire Latortue. Ce projet d'échange de lettres est une idée de Mlle Lison Dumolong, sa professeure de français. Et, depuis trois semaines et demie, Mélanie attend impatiemment une réponse à sa lettre.

Une fois dans le salon, Mélanie Lapierre ouvre le téléviseur en appuyant mécaniquement sur la télécommande. Tout en croquant dans un biscuit à la farine d'avoine — de loin, sa sorte préférée — et en buvant son verre de lait, Mélanie commence à décacheter l'enveloppe qui lui est adressée.

Fébrilement, elle se met à lire ce que sa nouvelle correspondante d'outre-Atlantique peut bien lui raconter.

Chère Lapierre Mélanie,

Si je t'écris, ce n'est pas pour te demander de venir à ma rescousse. Non, surtout pas! Mélanie, je veux simplement te prévenir que tu ne dois plus mettre les pieds dans ce cimetière infect.

Mais je tenais à tout prix à te dire qu'à la prochaine pleine lune, mon sort en sera jeté. Ainsi va ma destinée, Mélanie, et personne ne peut s'aviser de la détourner sans avoir à subir de terribles châtiments.

De toute façon, ma pauvre Mélanie, même si tu voulais m'aider, tu n'aurais aucune chance de vaincre l'horrible Comité des griffes de la mort. Alors, il faut te faire à cette idée: pense à toi, pense à ton avenir et oublie au plus vite que tu m'as déjà connu.

Impossible, ce ne peut pas être lui!

Vraiment incroyable et inimaginable!

Trop intriguée, Mélanie ne peut s'empêcher de continuer sa lecture.

Tout ce qui m'arrive est de ma faute, j'aurais bien dû être plus prudent. Il aurait fallu brûler le bout de papier sur lequel était dessiné le plan du cimetière. Au lieu de ça, je t'ai simplement dit de le déchirer et de le lancer aux quatre vents.

Justin Macchabée a alors vite fait appel à tous les morts vivants de la terre. Il a pu recoller tous les morceaux du plan et l'abominable a pu ainsi continuer son oeuvre de destruction.

Mélanie en est tout abasourdie!

Elle se souvient bien d'avoir déchiré le plan qui lui a servi à retrouver son chemin, mais elle l'a déchiré en quatre morceaux seulement. Un par point cardinal. Elle comprend maintenant qu'elle aurait dû déchirer ce plan en mille morceaux avant de le lancer aux quatre vents. Ainsi, les morts vivants n'auraient pas pu le reconstituer.

Non, jamais!

Et elle continue de lire.

Je saisis l'occasion pour te souhaiter une vie heureuse et douce. Tu dois savoir que si c'était à refaire, je n'hésiterais pas une seule seconde à agir de la même manière que je l'ai fait. Oui, Mélanie, je te protégerais encore de l'effroyable Comité des griffes de la mort.

Longue vie à toi, Mélanie!

Et, encore une fois, s'il te plaît, tiens-toi loin de ce cimetière maudit, tu pourrais le regretter amèrement. Oui, amèrement!

N'oublie pas, Mélanie Lapierre, que je ne serai plus là pour t'aider. Je vais bientôt disparaître, victime d'une éclipse permanente. Disparaître à jamais, n'oublie surtout pas ça, Mélanie!

Ne l'oublie jamais, s'il te plaît, ma chère Mélanie!

Disparaître à jamais!

Depuis un mois, Mélanie Lapierre se doutait bien que son brave sauveur était dans une fâcheuse position.

De plus, elle est convaincue que dans sa lettre, Fabien ne lui raconte pas toute la vérité. Elle est persuadée qu'il a voulu lui cacher les horribles tortures qu'on lui réserve.

Avant de le condamner à la réclusion perpétuelle, l'abominable Justin Macchabée va sûrement s'amuser à faire souffrir Fabien Tranchant.

Pour satisfaire tous ces esprits tordus du Comité des griffes de la mort, il est évident que faire disparaître Fabien Tranchant ne sera pas suffisant.

Dans l'esprit de Mélanie, pas le moindre doute là-dessus!

Fabien Tranchant est encore dans de plus mauvais draps que Mélanie aurait même osé l'imaginer. Les pires appréhensions de la pauvre jeune fille étaient donc parfaitement justifiées.

Avant de poursuivre sa lecture, Mélanie Lapierre doit essuyer une larme. Une larme qui a le temps de descendre sur sa joue et d'aller humecter ses lèvres.

Chère Mélanie,
c'est bien fini.
Heureuse Mélanie,
pour moi, c'est bien fini.
Adieu, Mélanie,
bel et bien fini.
Et je signe Fabien
qui ne vaut plus rien.

Pauvre Fabien!

Il se juge bien sévèrement. Pour penser qu'il ne vaut plus rien, il doit être profondément déprimé, mais Mélanie le comprend de réagir de cette manière. Les perspectives d'avenir de son sauveur ne sont pas très roses.

La révolte commence donc à germer dans le coeur de Mélanie. Elle prend conscience, encore une fois, qu'elle ne peut pas abandonner Fabien Tranchant à son triste sort. Malgré ses nombreux et constants efforts des dernières semaines, elle n'arrive pas à l'oublier.

Et puis non, bel et bien fini, il n'est pas question d'accepter ça!

Mais que peut-elle faire?

À la seconde même, fort peu.

Pourtant, en analysant la situation, en

restant calme et en s'armant de courage et de ruse, elle peut faire de grandes choses. Elle l'a déjà prouvé en affrontant avec sang-froid l'horrible menace du Comité des griffes de la mort.

Aidée de Fabien Tranchant, bien sûr!

Mais seule, pourra-t-elle vaincre?

C'est à voir...

Non, rien à faire, elle ne peut pas, Mélanie Lapierre ne veut pas abandonner son sauveur. Elle trouve qu'il serait trop injuste que cet infâme Justin Macchabée finisse par l'emporter. Non, elle doit croire en ses forces..., il le faut, elle doit prendre son courage à deux mains, elle se doit d'affronter une nouvelle fois le Comité des griffes de la mort...

Son esprit est d'attaque.

«Gare à toi, Justin Macchabée, on va voir ce qu'on va voir! Qui a dit que Mélanie Lapierre te laissera réaliser ton horrible projet d'éliminer aussi facilement Fabien Tranchant?»

— Tiens bon, Fabien Tranchant, mon sauveur, j'arrive... C'est à mon tour de te sauver, crie tout à coup Mélanie dans la maison toujours remplie du bruit du téléviseur.

C'est bien beau de crier son indignation et de manifester son enthousiasme, mais il faut aussi passer à l'action.

Et vite!

Le calendrier!

L'urgence de la situation semble évidente. En effet, le calendrier indique que dans quelques heures à peine, la pleine lune apparaîtra dans le ciel. Pour établir un plan d'attaque, il n'y a donc pas une minute à perdre.

Heureusement pour Fabien Tranchant, Mélanie Lapierre n'a pas encore dit son dernier mot.

Et sûrement pas vécu, non plus, ses derniers frissons!

Chapitre II
En route vers sa destinée!

Quelques heures plus tard, d'un pas déterminé, Mélanie Lapierre atteint l'intersection de l'avenue Lever-Croquet et de la rue Ravi-Dlavie. Armée de son sac à dos, la jeune fille s'engage aussitôt sur l'avenue Lever-Croquet, celle-là même qui longe le cimetière.

Quand Mélanie parvient à la porte d'entrée du territoire des morts vivants, elle voit que la lourde grille est fermée à double tour. Rien de plus normal à cette heure tardive! Mais ce n'est sûrement pas ce détail qui va l'arrêter. Mélanie Lapierre a maintenant une mission à accomplir et elle n'a pas l'intention de s'y dérober.

À quelques centaines de mètres de l'entrée officielle, Mélanie connaît un endroit où l'on peut se glisser sous la clôture qui entoure le cimetière. Elle s'y rend aussitôt. Pour arriver à passer, elle doit retirer son sac à dos, car la brèche est infime. Aussi agile qu'une gymnaste, elle réussit à se faufiler dans le territoire des morts vivants.

Depuis peu, à l'horizon, le soleil s'est couché. Et du même coup, il a cédé sa place à une magnifique pleine lune.

Toutefois, aussi magnifique soit-elle, la pleine lune arrive difficilement à percer les nuages. Afin de mieux repérer ses ennemis, Mélanie Lapierre aurait préféré une nuit sans le moindre nuage.

C'est l'évidence même!

Pour lutter adéquatement, elle aurait bien besoin de toute cette lumière lunaire, de ce miraculeux reflet du soleil au milieu de la nuit. Contrairement aux morts vivants qui sont des créatures essentiellement nocturnes, Mélanie Lapierre est une vivante qui a besoin de lumière.

Dans sa lutte pour la libération de Fabien Tranchant, Mélanie Lapierre part donc désavantagée. Mais comme elle a déjà vécu une première expérience au cimetière, elle a pris ses précautions. Sachant trop bien que ses ennemis jurés sont armés jusqu'aux griffes, Mélanie ne se présente pas les mains vides devant eux.

Au bout de quelques centaines de mètres de marche, Mélanie s'arrête pour fouiller dans son sac à dos. Elle en retire quelques cailloux qui semblent briller dans la nuit noire. Prudemment, elle continue ensuite d'avancer vers le coeur du cimetière, là où elle risque le plus de retrouver la bande à Justin Macchabée.

Et, bien sûr, Justin Macchabée lui-même!

Tous les dix mètres environ, Mélanie se penche et dépose par terre un caillou fluorescent. Elle ne tient pas à s'égarer bêtement comme la dernière fois. Avec ces cailloux déjà enduits de teinture jaune fluo, elle prend soin d'indiquer le chemin parcouru.

De temps en temps, Mélanie jette un regard derrière elle. Son stratagème fonctionne parfaitement bien. Les cailloux sont très visibles dans la nuit. Ainsi, prise

Les griffes de la pleine lune

au dépourvu, elle saura dans quelle direction courir pour échapper à la meute sanguinaire qui voudrait l'attaquer.

Mélanie sait qu'elle a un avantage certain — le seul peut-être — sur ses ennemis. En effet, les morts vivants se déplacent lentement. Mélanie Lapierre, par contre, est en pleine forme et elle court vite.

Peut-être est-ce le seul avantage qu'elle ait! Mais il est de taille! Cette pensée rassure Mélanie et lui donne le courage nécessaire pour continuer sa progression en territoire ennemi.

Mélanie Lapierre s'aperçoit maintenant qu'elle est entourée de pierres tombales. En son for intérieur, elle sait bien qu'elle vient d'atteindre la partie la plus habitée du cimetière et, par le fait même, la plus dangereuse.

L'inévitable territoire du Comité des griffes de la mort!

À partir de ce point, il est essentiel que Mélanie Lapierre réussisse à se concentrer encore plus. Tout en scrutant le décor, elle tend l'oreille. Malheureusement, elle voit peu de choses, car les nuages ont complètement caché la pleine lune. Par contre, le moindre bruit apparaît aussitôt à Mélanie comme une ultime menace à affronter.

Urgence oblige, elle s'arrête donc et se glisse derrière une pierre tombale afin de réfléchir à sa situation.

«Non, ce n'est pas comme ça que tu vas réussir à sauver ce pauvre Fabien. Au contraire, si tu continues à paniquer au moindre bruit de branche séchée que tu écrases, tu n'y arriveras jamais. Au lieu d'aider Fabien, tu risques de te retrouver dans d'aussi mauvais draps que lui. Du courage, oui, c'est sûr qu'il en faut. Mais surtout, c'est de calme et de ruse que tu dois faire preuve.»

Pour garder son calme, Mélanie Lapierre observe ses cailloux qui brillent dans la nuit. Une idée germe alors dans son esprit.

Patience et ruse dans la nuit!

Le principe est simple: elle doit laisser l'ennemi dévoiler son jeu. Les morts vivants, qui n'ont aucune raison de se méfier d'elle, finiront bien par se trahir.

Il suffit donc d'attendre qu'un mort vivant sorte de sa tombe pour le prendre en filature. Mélanie a raison de croire que la plupart d'entre eux se rendront assister au procès du pauvre Fabien Tranchant. Ensuite, ils fêteront sûrement la victoire de la mort sur la vie.

Leur victoire sordide et immonde!

Subitement, le ciel s'illumine.

Quelques secondes plus tard, un coup de tonnerre se fait entendre. Un violent orage éclate aussitôt.

Vite, Mélanie fouille dans son sac à dos et en retire un petit paquet. Elle se glisse entre deux pierres tombales et déroule l'imperméable noir qu'elle place au-dessus de sa tête. Sous cette tente improvisée, Mélanie Lapierre arrive tant bien que mal à se protéger de la pluie violente qui s'abat maintenant sur le cimetière.

Heureusement, l'orage dure à peine cinq minutes.

Mais c'est tout de même assez pour que des flaques d'eau se forment un peu partout. Et pour que Mélanie ait les pieds mouillés et pleins de boue.

À première vue, rien de grave!

Au cas où la pluie recommencerait à tomber, Mélanie décide de porter son imper. Elle retourne vers le sentier avec l'intention de se trouver un endroit moins détrempé. Si elle doit faire le guet pendant des heures, aussi bien le faire dans les meilleures conditions possibles.

En effet, ce sera peut-être long avant d'apercevoir un de ces spectres macabres sortir des entrailles de la terre. Comme elle cherche des indices de leur présence, Mélanie regarde derrière elle.

Non, impossible!

Mélanie se frotte les yeux. Elle se dit qu'elle rêve sûrement, que c'est sûrement une erreur de sa part, qu'elle est sûrement victime d'un affreux cauchemar.

Non, rien de tout ça!

La pauvre Mélanie doit se rendre à l'évidence: derrière elle, la réalité dépasse la fiction. Dans les yeux horrifiés de Mélanie Lapierre, on peut maintenant lire toute sa détresse.

Il y a de quoi!

Les cailloux fluo ne sont plus du tout fluo. Ils se sont fondus dans le paysage terne des pierres tombales. Sous la pluie intense, la teinture a dû disparaître.

Mélanie trouve que c'est injuste.

Et plutôt décourageant!

En plus d'avoir à combattre une horrible bande de morts vivants, elle doit aussi affronter les éléments d'une nature qui lui est hostile. Si tout doit se déchaîner contre elle, il ne lui reste plus beaucoup d'espoir d'arriver à compléter sa mission.

Une mission devenue maintenant encore plus délicate et périlleuse.

Rebrousser chemin?

Non, jamais!

De toute façon, il est un peu tard pour songer à ça. Mélanie ne s'y retrouverait plus, ayant perdu tous ses précieux points de repère.

«Fabien, comme j'ai été téméraire de vouloir voler à ton secours. Maintenant, je suis dans le même pétrin que toi», songe Mélanie en avançant lentement sur le sentier sinueux qui la mène vers sa destinée.

Son implacable destinée!

Fort probablement!

Chapitre III
La terre tremble

Depuis bientôt une heure, Mélanie Lapicrre fait le guet.

Malgré la malchance qui s'acharne sur elle, Mélanie a su éviter de sombrer dans une panique aussi paralysante qu'inutile. Sagement, elle s'est plutôt résignée à attendre le plus patiemment possible que l'ennemi se manifeste.

Après tout, un des spectres de la bande à Justin Macchabée finira bien par se montrer le bout du crâne.

Inévitablement!

En effet, lcs morts vivants n'ont pas la réputation de résister longtemps à l'appel de la pleine lune.

Surtout que cette nuit, on leur promet

une prime alléchante: l'immolation sadique de Fabien Tranchant, celui-là même qui a trahi les idéaux pourtant dégoûtants des morts vivants.

Penser ainsi à Fabien, le voir prisonnier, l'imaginer souffrir, l'entendre gémir: toutes ces images redonnent le courage voulu à Mélanie Lapierre.

Tel un animal sauvage, entre deux grosses pierres tombales, Mélanie reste sur le qui-vive. Elle est à l'affût du plus léger bruissement, elle demeure aux aguets du moindre brin d'herbe qui se mettrait à bouger.

On a beau dire, ce n'est pas facile de pourchasser de tels ennemis. Les morts vivants ont un comportement tellement imprévisible.

Une bonne nouvelle, cependant!

Depuis au moins une dizaine de minutes, le ciel s'est complètement dégagé et la pleine lune éclaire maintenant le cimetière de tout son éclat.

Tout à coup, sans le moindre avertissement, la terre se met à trembler. Et très violemment, au point où Mélanie Lapierre en perd l'équilibre.

La pauvre Mélanie n'arrive pas à croire

qu'une autre catastrophe naturelle est en train de se produire. Après l'orage qui s'est abattu sur elle, il ne manquerait plus qu'un tremblement de terre. Sous les yeux de Mélanie, la pelouse se soulève et la terre continue à se fendiller. Pas le moindre doute, c'est un vrai tremblement de terre!

Mélanie Lapierre décampe, car elle ne tient pas à disparaître dans une fissure terrestre. À la télévision ou au cinéma, elle a déjà pu voir les terribles effets des tremblements de terre: des humains, des animaux et des arbres sont aspirés instantanément et s'enfoncent à jamais dans le ventre de la terre.

Même si elle adore sa planète, Mélanie ne veut pas finir tout de suite dans ses entrailles.

En continuant sa course, elle voit pourtant que le sol reste bien solide sous ses pas.

Dans l'esprit de Mélanie, l'hypothèse du tremblement de terre commence à s'effriter. Intriguée, elle se penche pour observer l'asphalte de plus près.

Elle ne détecte pas de fissures majeures.

Mélanie reprend son souffle et elle jette un regard derrière elle: ce qu'elle aperçoit alors la laisse complètement médusée.

Tout près d'elle, Mélanie voit la terre se soulever. Elle croit même déceler une forme étrange, à moitié sortie du sol. Elle s'approche prudemment et elle continue à observer.

Rendue à proximité de la scène, Mélanie se faufile lentement derrière un arbre. Elle a maintenant une place de choix pour observer cette masse informe qui surgit de la terre.

Mélanie Lapierre est à la fois contente et inquiète.

Contente de voir que sa patience est enfin récompensée. Inquiète d'imaginer ce qui l'attend si vraiment cette masse bizarre est bien ce qu'elle pense.

Inutile de se leurrer, plus le moindre doute possible!

À une vingtaine de mètres devant Mélanie Lapierre, c'est un mort vivant qui est en train de s'extraire de la terre. Mais il n'est pas seul. Pourtant, ce ne sont pas tous les habitants du cimetière que Mélanie Lapierre a sous les yeux.

Non, ils sont deux...

Plutôt trois...

Ou, finalement, quatre.

Côte à côte, quatre morts vivants marchent maintenant en direction de la pleine lune. Ils avancent lentement et lourdement, selon une habitude qui vient de leurs ancêtres.

À une distance respectable, Mélanie Lapierre entreprend donc de suivre ce quatuor plutôt morbide. Si elle veut sauver Fabien Tranchant, elle doit entreprendre cette filature.

Mission Sauvefachant!

Sauver Fabien Tranchant!

Mélanie Lapierre met donc de côté ses craintes pour se consacrer uniquement à sa filature. Elle est maintenant convaincue que ces carcasses ambulantes la mèneront tout droit là où l'on séquestre Fabien Tranchant.

Trop concentrée, Mélanie en oublie de placer des cailloux fluo le long de sa route. Au moment où elle s'en rend compte, elle trouve qu'il est un peu tard pour commencer. Comme les morts vivants marchent très lentement, Mélanie a le temps de réfléchir à la situation.

«De toute façon, à la fin de l'orage, mes repères fluo étaient effacés. J'étais donc déjà perdue. Quand on est perdu, on ne peut pas l'être à moitié. On l'est ou on ne l'est pas. Et puis, je dois me fier à ma bonne étoile, elle finira bien par me montrer le chemin, celle-là.»

Un espoir se dessine dans la nuit.

À cause de sa filature, il n'est pas question pour Mélanie de lever le nez et de quitter la terre des yeux. Pourtant, juste au-dessus de sa tête, une étoile traverse le ciel.

Trop tard, Mélanie Lapierre vient de rater le bolide lumineux.

Elle n'a donc pas pu faire un voeu comme elle le fait habituellement lors du passage d'une étoile filante.

Malheureusement!

Chapitre IV
Les pissenlits par la racine

Mélanie Lapierre commence à s'impatienter.

Au rythme où se déplace le quatuor des morts vivants, elle trouve qu'elle ne rejoindra pas Fabien Tranchant avant au moins un siècle. Et il sera alors trop tard. Autant pour le pauvre Fabien que pour elle!

Pourtant, Mélanie sait qu'elle doit garder son calme.

Elle essaie de se convaincre qu'on ne commencera pas à torturer Fabien avant que tous les invités ne soient arrivés. Et les quatre zombis qu'elle suit à la trace font sûrement partie des personnalités choisies par Justin Macchabée lui-même.

Avant de lancer son signal fatidique, il est évident que l'infâme Macchabée s'assurera que tous les participants à la fête soient bien là.

Que le carnage commence!

Son horrible cri de ralliement!

Tout à coup, Mélanie ne sait trop pourquoi, mais elle a la sensation bizarre d'être épiée. Elle veut se retourner pour vérifier ce qui se passe derrière son dos. Elle n'a pas le temps de bouger qu'on vient déjà de la happer.

D'un coup sec, on tire sur son sac à dos. Brutalement, on tente de le lui arracher. Mélanie résiste, car elle ne peut se permettre de voir s'envoler son précieux sac. À coups de coude et de pied, elle se débat. En sautillant nerveusement sur place, elle sent que l'emprise se relâche.

Elle s'est enfin libérée.

Courageusement, elle se retourne aussitôt.

À son grand étonnement, Mélanie ne voit rien. Rien de louche, du moins, dans le style des affreuses carcasses de la meute à Macchabée. De toute façon, Mélanie est sûre que ce ne sont pas ses ennemis jurés qui ont fait le coup. Les coupables ont disparu trop vite et les morts vivants n'ont pas l'habitude de voyager à la vitesse de l'éclair.

En observant plus calmement les lieux, Mélanie Lapierre se met alors à sourire. Elle peut maintenant se détendre, car elle vient de comprendre ce qui est arrivé.

Afin d'exercer une filature efficace, il n'est pas question pour Mélanie d'emprunter les grands sentiers qui arpentent le cimetière. Elle risquerait trop d'être rapidement démasquée.

Elle choisit plutôt de longer tous ces chemins étroits et sinueux, plus propices au camouflage. Bien involontairement, elle effleure souvent les arbres et les arbustes qui ornent la bordure de ces petits sentiers.

Cette fois, une des courroies de son sac à dos s'est accrochée à une branche d'arbre. La pression a été tellement forte sur les épaules de Mélanie qu'elle s'est aussitôt sentie agressée.

Comme une véritable déchaînée, elle s'est alors débattue. C'était légitime de sa part de réagir ainsi: elle pensait vraiment avoir affaire à ses coriaces et sournois ennemis.

Heureusement que ce n'était pas le cas!

Non, présentement, ses seuls et uniques ennemis visibles sont à une centaine de mètres devant elle.

Tout ce temps-là, le quatuor n'a ni ralenti ni accentué sa marche. De véritables robots téléguidés, moins alertes, cependant! Et, il faut bien le reconnaître, beaucoup plus répugnants!

Dans la nuit, Mélanie continue donc sa filature.

Soudain, le quatuor s'arrête. Pour se camoufler, Mélanie Lapierre plonge aussitôt sous un tas d'arbustes. Elle aperçoit alors les morts vivants qui pivotent lentement sur eux-mêmes. De leurs regards globuleux et insistants, ils scrutent impitoyablement le décor.

Puis, de leur même pas lourd, les froides créatures reprennent leur marche. Mais cette fois, le quatuor quitte le sentier et semble se diriger vers un amas de pierres tombales de très haute taille. En les voyant ainsi tourner à gauche, Mélanie Lapierre se met à espérer. Elle s'approche du but, elle le sent bien.

Bientôt, elle va revoir Fabien Tranchant.

Les griffes de la pleine lune

Mais dans quel état sera-t-il?

Pour combattre ses appréhensions, elle murmure intérieurement.

Courage, Fabien,
tu as bien de la veine.
Courage, cher Fabien,
et cesse ta peine.
Courage, brave Fabien,
car je viens te sauver.
Courage, pauvre Fabien,
oui, je viens te sauver
de cette meute assoiffée...

Mélanie Lapierre voudrait bien croire qu'elle arrivera à réussir sa mission.

Elle veut y croire.

Mélanie doit y croire.

Mélanie Lapierre y croit.

Malgré tous ses efforts pour dominer sa peur, Mélanie demeure anxieuse. Elle se rapproche du but, mais elle peut difficilement contrôler sa fébrilité. Les mains moites et le coeur serré, elle essaie pourtant de se convaincre que son bel exercice de courage sera bientôt récompensé.

Récompensé...

Là, Mélanie Lapierre se trouve bien

présomptueuse de passer aussi vite aux conclusions. C'est vrai qu'elle lutte férocement pour dominer sa peur et pour tenter de délivrer Fabien Tranchant. L'effort y est, mais malheureusement, ça ne suffit pas.

Pour vaincre le Comité des griffes de la mort, il faut compter sur une bonne dose de chance. Mélanie Lapierre ne doit pas se laisser leurrer. En suivant ses mousquetaires ambulants, elle n'est même pas certaine d'être sur la bonne piste.

Sournoisement, des doutes l'assaillent.

«Tu vois des morts vivants sortir de la terre et tu les prends en filature, car tu es sûre qu'ils vont te conduire à Fabien Tranchant», songe-t-elle. «Ça, c'est une hypothèse, une belle fantaisie sortie tout droit de ton imagination. Tu es tellement naïve, ma pauvre Mélanie Lapierre, que je désespère de toi, si tu veux savoir toute la vérité.»

Encore une fois, la confiance de Mélanie est affaiblie.

En effet, comment a-t-elle pu présumer aussi rapidement que ce quatuor se rendait bien au banquet sanguinaire organisé pour immoler Fabien?

Depuis le début, toute cette mise en scène est fort probablement un piège. Un piège astucieux pour livrer Mélanie Lapierre sur un plateau d'argent à ses ennemis. Un piège comme seul l'infâme Justin Macchabée sait en tendre. Un ignoble piège pour pousser Mélanie Lapierre dans les griffes de ce sinistre déchiqueteur de chairs humaines!

Pour la jeter dans la gueule avide de la mort!

Alors, avant qu'il ne soit trop tard...

«Non, non et non!» s'écrie intérieurement Mélanie Lapierre.

Aux yeux de la courageuse jeune fille, pas question d'abandonner sa filature! Si elle a parcouru tout ce chemin, ce n'est pas pour reculer à la dernière minute. Même ébranlée, Mélanie n'a pas l'intention de se laisser envahir par ces vagues d'inquiétudes.

Une longue et profonde respiration la ramène les deux pieds sur terre, une terre à la fois ferme et boueuse. Bien se concentrer, continuer sa filature et oublier tout le reste!

Pour l'instant, uniquement *Mission Sauvefachant!*

Assaillie par ces doutes aussi soudains que tenaces, Mélanie Lapierre a été distraite de sa filature et l'a ainsi négligée. Si bien que les quatre morts vivants ont maintenant disparu.

Le coeur battant à un rythme affolant, Mélanie Lapierre se met aussitôt à courir. Elle laisse de côté ses dernières craintes, car elle doit rattraper le sinistre quatuor. Après tout, cette piste n'est peut-être pas la bonne, mais elle reste tout de même la seule valable.

Alors, il faut foncer!

Quand elle songe à la vitesse à laquelle les morts vivants se déplacent, Mélanie se sent rassurée. Ils ne doivent sûrement pas être très loin. En quelques bonnes enjambées, elle finira bien par retrouver leur trace.

Brusquement, Mélanie s'arrête.

Elle croit entendre des bruits confus sortir de la terre. Elle s'approche du lieu suspect et aperçoit alors ses mousquetaires. Les quatre créatures descendent lentement un long escalier qui les mène dans les entrailles de la terre.

Au milieu des clameurs, Mélanie entend une voix crier:

— Le voilà, le quatuor *Les pissenlits par la racine* vient d'arriver. On peut maintenant commencer.

Le quatuor *Les pissenlits par la racine...*

Des musiciens?

Commencer?

Commencer quoi, au juste?

L'immolation de Fabien?

Sûrement!

Pour le savoir, rien de plus simple: il faut aller voir ce qui se passe là-dessous. Pour faire progresser sa mission, Mélanie Lapierre doit atteindre ce caveau humide. Même si elle imagine ce trou infect complètement envahi par des tas de créatures répugnantes, elle doit descendre.

Il ne faut pas flancher.

Surtout pas si près du but!

Chapitre V
Incognito

Bercée par le doux espoir de venir bientôt en aide à son sauveur, Mélanie Lapierre fouille fébrilement dans son sac à dos.

Opération Déguisemépierre pour accomplir *Mission Sauvefachant!*

En quelques minutes, Mélanie Lapierre est métamorphosée en un véritable squelette ambulant. Puis elle prend bien soin d'aller se rouler dans la boue. Deux fois plutôt qu'une. Après tout, les morts vivants vivent dans la terre boueuse. Si on veut leur ressembler, on n'a donc pas le choix.

Heureusement pour Mélanie, à cause de la pluie qui est tombée, la boue ne manque pas.

Maintenant devenue aussi sale qu'elle

le pouvait, elle est prête à rendre visite à ses semblables.

Ouf, ses semblables!

Grâce à la magie de son déguisement, elle espère réussir à se confondre aux morts vivants.

Après tout, en n'étant plus qu'un squelette recouvert de boue, n'est-elle pas devenue une véritable morte vivante? N'est-elle pas prête à s'intégrer parfaitement à cette fidèle meute sanguinaire de Justin Macchabée?

Au-dessus des clameurs peu invitantes du caveau, Mélanie Lapierre prend de longues et profondes respirations. Ses narines sont aussitôt envahies par une odeur nauséabonde.

«Normal, se dit-elle, qu'avec ce mélange d'humidité et de morts vivants, ça ne sente pas le jardin de roses.»

Mélanie Lapierre entreprend maintenant sa descente vers le tréfonds de la terre.

Courageusement et, bien sûr, fort lentement.

Fort, fort lenttttteeeeeemennnnnnt!

La gorge serrée, Mélanie se rend compte qu'elle se rapproche de plus en plus du flot des clameurs.

À ce moment précis, Mélanie Lapierre ne souhaite qu'une chose: demeurer incognito.

Sinon..., sinon...

De toutes ses forces, Mélanie lutte.

En effet, ce n'est pas le temps de se laisser envahir par les mauvais présages. Au rythme de sa lente descente, elle se laisse plutôt bercer par son désir de sauver Fabien.

Son inébranlable désir!

Patience, Fabien
si je viens de si loin
patience, cher Fabien
c'est pour prendre bien soin
patience, brave Fabien
de toi, le magnifique
patience, pauvre Fabien
aux prises avec ce maléfique,
ce spectre trépassé,
ce monstre aux griffes d'acier,
ce tortionnaire sadique,
ce Justin dit le Macchabée...

Plus rien ne semble vouloir arrêter Mélanie Lapierre: pas plus les griffes d'acier du maléfique que les gueules d'hyènes de son troupeau d'ardents fidèles. Même le risque de souffrir ou de mourir aux mains du tortionnaire sadique n'arrive plus à diminuer les ardeurs de Mélanie.

Depuis quelques instants, Mélanie Lapierre est alimentée par une nouvelle énergie. Propulsée par son désir de sauver Fabien Tranchant, elle en oublie tout le reste. Elle est maintenant sûre de pouvoir surmonter les derniers obstacles qui la séparent de Fabien. Et elle est certaine de la réussite de sa noble mission.

Mission noble mais difficile et pleine d'embûches, oui!

Mais impossible, non!

Mélanie Lapierre vient d'atteindre le bout de l'escalier. Elle est bien consciente d'entreprendre maintenant la portion la plus délicate de sa folle odyssée.

À la porte d'entrée, pas le moindre contrôle de routine! Comme la plupart des invités sont arrivés, on a probablement cru bon de relâcher la surveillance.

Sans être importunée par qui que ce soit, Mélanie se faufile dans la grande salle humide où sont réunis des centaines de morts vivants. En retenant son souffle, elle peut alors se fondre dans cette foule compacte.

— S'il vous plaît, s'il vous plaît..., j'aurais besoin d'un peu de silence... Un peu de silence, s'il vous plaît...

Ne tenant pas à rester trop longtemps immobile au milieu de toutes ces créatures, Mélanie se glisse aussitôt vers l'endroit d'où proviennent ces paroles.

— Merci d'être venus en si grand nombre et bienvenue à cette nuit de festivités qui promet déjà d'être des plus excitantes. Je me présente: Yvon Souterre, votre maître de cérémonie. Pour l'instant, je n'en dis pas plus. J'inviterais tout de suite notre distingué et...

Pas possible!

À ce moment précis, Mélanie est fière d'elle. Elle comprend qu'elle ne s'est pas trompée en suivant à la trace le quatuor de morts vivants. Les mousquetaires ambulants l'ont menée là où elle devait se rendre.

Face à face avec le plus tenace de ses cauchemars!

Mélanie Lapierre reconnaît celui qui s'approche maintenant de la tombe fermée qui sert de podium.

Avec l'aide de quelques disciples, Justin Macchabée se hisse sur ce macabre podium.

Après s'être bien solidement ancré les deux pieds, il entreprend de livrer son discours.

— Je vous remercie d'avoir répondu à mon invitation personnelle, commence-t-il sur un ton plutôt calme. Et je vous promets une très agréable nuit. Pas une nuit terne où vous vous endormirez comme ces pauvres vivants qui manquent d'imagination! Non, moi, je vous promets une vraie nuit faite sur mesure pour ceux qui savent apprécier la valeur des plaisirs délicieusement inattendus.

Dans la foule, les murmures de satisfaction commencent à fuser de partout. L'orateur, aussi habile que sournois, continue son envolée.

— En somme, une nuit digne de la magnifique pleine lune qui nous fait l'honneur de sa présence. À vous tous et à vous toutes, mes chers complices de toujours, je souhaite donc la plus horrible et la plus juteuse nuit de toute votre vie de mort vivant.

En mordant dans le mot horrible, Mélanie Lapierre s'aperçoit que Justin Macchabée a commencé à s'enflammer.

— Oui..., oui..., une vraie nuit où justice sera rendue, continue-t-il. Oui..., oui..., car il sera puni. Oui..., oui..., l'immonde traître que vous verrez bientôt apparaître, puis disparaître à jamais. Je vous le promets, mes amis, ce vil rat d'égout sera traité comme il le mérite.

Mélanie voit que le discours de Justin Macchabée prend de plus en plus les allures d'une oraison funèbre. Dans cette grotte humide et macabre, Mélanie Lapierre se sent bien seule. Autour d'elle, toutes ces infâmes créatures murmurent maintenant des oui, oui d'approbation à l'endroit de leur chef vénéré.

Tout à coup, Mélanie Lapierre a la nette impression qu'on l'observe. De son regard plutôt sinistre, son voisin de gauche est même en train de paralyser la pauvre Mélanie.

Heureusement, elle se ressaisit très vite.

En bonne morte vivante docile et fidèle, elle décide donc d'entrer à son tour dans la ronde des murmures de satisfaction. Rassuré, le mort vivant détourne alors lentement son crâne décharné, non sans avoir esquissé son plus beau sourire cadavérique à l'endroit de Mélanie.

Par mesure de prudence, Mélanie Lapierre décide aussitôt de s'esquiver. Le corps frissonnant, elle part à la recherche de nouveaux voisins qu'elle souhaiterait moins communicatifs.

Entre-temps, Justin Macchabée a cessé de parler à son troupeau. Toujours sur le podium, il regarde lentement à droite, puis à gauche. Silencieusement, la foule observe le grand manitou. On entend les mouches voler et on peut même voir quelques vermisseaux se régaler. Un vrai silence de mort comme les aime sans doute Justin Macchabée!

Brusquement, dans un geste théâtral, l'habile orateur soulève ses bras décharnés vers la foule. Puis il lance un cri tellement déchirant que Mélanie cesse de respirer.

— Trrrrrraîtrrrrrre...

Peu à peu, il baisse les bras et il semble se calmer. Illusion, profonde illusion!

— Infâme traître, prépare-toi à payer ton dû, reprend-il de plus belle. Et vous, larves et vermisseaux, régalez-vous par anticipation. Bientôt, nous serons débarrassés de ce chien galeux qui nous a tous trahis. Car trahir Justin Macchabée, c'est nous trahir tous..., tous autant que nous sommes.

D'autres murmures approbateurs accueillent ces déclarations terrifiantes du chef incontesté du Comité des griffes de la mort. En voyant cette masse de fidèles l'idolâtrer, le cynique Justin Macchabée jubile.

— Que l'on traîne le vil traître à mes pieds, lance-t-il fermement à ses troupes. Place à la réunion extraordinaire du C.G.M. pour que justice soit rendue! La justice, notre justice, la seule, l'unique, la vraie. Pas la stupide justice des pauvres humains qui ne comprennent jamais rien, qui n'ont jamais rien compris et qui ne comprendront d'ailleurs jamais rien...

Même si ce n'est pas facile, Mélanie tente de garder son sang-froid. Ce n'est pas le temps de se trahir par des réactions trop émotives. Elle se doit de continuer à réagir comme une morte vivante. Si elle a réussi à se rendre jusqu'à ses ennemis sans être repérée, ce serait vraiment trop bête de se faire démasquer aussi près du but.

Malheureusement, depuis quelques instants, Mélanie Lapierre a l'impression d'être de plus en plus vivante. Vivante et fébrile, dans chaque pore de sa peau! Mais prudence et retenue sont les consignes qu'elle ne cesse de se répéter intérieurement. En proie à de vives émotions, elle parvient quand même à se maîtriser.

Alors, Mélanie Lapierre est aussitôt récompensée.

Elle voit apparaître Fabien Tranchant.

Titubant, le pauvre Fabien semble trop faible pour marcher. On le traîne sans ménagement vers le podium où est juché Justin Macchabée.

À tout prix, Mélanie doit retenir ses larmes. Elle sait qu'il lui serait fatal de donner un tel indice sur sa véritable nature. Humaine jusqu'au bout d'une larme. Une larme au goût de sel. Beaucoup trop humaine!

Non, il ne faut pas.

Mélanie se permet donc d'être triste, mais elle ne versera pas la moindre larme traîtresse.

Traîtresse et fatale!

Et puis, à ce moment-ci, tristesse ne rime pas avec courage. Dans courage, il y a plutôt rage. La rage de vaincre l'odieux Comité des griffes de la mort. La rage de sauver Fabien. La rage de vaincre la mort. La rage de vivre.

Au moment jugé opportun, à la vitesse de l'éclair, il faudra frapper.

Avec vigueur!

Et avec cette rage de vivre au coeur!

Si profonde et tellement vivante!

Chapitre VI
Un macabre requiem

Fabien Tranchant gît maintenant aux pieds de Justin Macchabée. Dans la foule hostile, les injures pleuvent de partout à l'endroit de Fabien. Et les cris aigus du *brave* Justin Macchabée encouragent la foule. Sans le moindre répit, l'immonde dictateur ne cesse de bombarder le pauvre Fabien Tranchant des pires invectives.

— ... Lève-toi, épave ambulante... Allez, vil traître, affronte ceux que tu as si lâchement trahis... Pour une fois, chien galeux, fais preuve d'un peu de courage... Allez, debout, qu'on puisse cracher notre venin à la face du miteux rat d'égout que tu es...

La terrible infamie!

Pour ne pas répliquer, Mélanie Lapierre doit se mordre les lèvres. Elle a une chose plus importante à faire que de crier sa profonde indignation.

Il faut à tout prix trouver une astuce pour se rapprocher de Fabien. Il doit savoir que Mélanie est là pour le libérer des griffes du morbide Justin Macchabée.

Tout près, tout près de lui, prête à bondir.

— Regardez-le, le vil crapaud, il ne peut même pas se lever, continue le sadique orateur. Le pauvre petit Fabien Tranchant aime mieux croupir dans la boue que de rendre grâce à son maître.

Plutôt mourir que de rendre grâce à Justin Macchabée!

Mais ne pas bondir tout de suite!

Pas encore!

— Allez, *Les pissenlits par la racine*, au travail! Jouez-nous au plus vite le *Requiem en sol majeur pour quatuor à cordes* du grand Macchabée. Une pièce sublime composée par un célèbre virtuose. Un classique, quoi! Je suis assuré qu'on va tous vibrer à l'unisson.

Sous un tollé de gémissements approbateurs, le quatuor *Les pissenlits par la*

Les griffes de la pleine lune

racine s'approche alors de la scène improvisée. On apporte aussitôt des fouets aux quatre morts vivants.

Des instruments de musique ou de torture?

Mélanie n'ose pas répondre à cette question.

Mais elle arrive encore moins à écouter ce diabolique *Requiem* de Macchabée.

À tour de rôle, les fouets sifflent aux oreilles de Fabien Tranchant. Sans le moindre répit, tous ces claquements se font entendre dans ce caveau qui devient de plus en plus sinistre.

De temps en temps, un de ces fouets risque même de s'abattre sur le dos du courageux sauveur de Mélanie. Le choeur improvisé des morts vivants en profite alors pour manifester sa joie. En effet, les abominables créatures s'amusent à ridiculiser les lamentations pourtant légitimes du pauvre Fabien Tranchant, maintenant terrorisé.

Bien triste et désolant spectacle!

Et beaucoup plus ignoble que Mélanie n'aurait pu l'imaginer!

Le bruit des coups de fouet et les cris de

Fabien arrachent littéralement le coeur à Mélanie.

Après tout, Mélanie Lapierre est descendue dans ce lieu sordide pour sauver Fabien Tranchant.

Et non pour devenir prisonnière d'un tel cauchemar! Et encore moins pour assistcr aux atroces souffrances de son cher sauveur!

Finalement, au bout d'une dizaine de minutes, le sinistre *Requiem* s'achève.

— Bravo, bravo au quatuor *Les pissenlits par la racine,* lance Yvon Souterre venu remplacer Justin Macchabée. Il y aura un court entracte afin de permettre aux dévoués organisateurs de bien se préparer. Le prochain numéro sera *Traîtrise fatale.* Un numéro unique et sans lendemain. Parole d'Yvon Souterre et garantie de Justin Macchabée, ajoute le maître de cérémonie au rire sardonique.

Mélanie juge que c'est le temps de profiter de ce brouhaha pour s'approcher de Fabien. Mine de rien, elle se faufile donc tout près de la scène improvisée. Rendue là, cllc fait semblant de glisser dans la boue et elle réussit à tomber à quelques pas de Fabien Tranchant. Elle en profite aussitôt pour remettre un message à son sauveur qui semble en bien piteux état.

Mélanie n'a cependant pas le temps d'attendre sa réaction.

En effet, s'attarder serait trop louche. Déjà, quelques créatures s'approchent pour vérifier ce qui se passe. Mais trop tard, il n'y a plus rien à voir!

Prudemment, Mélanie Lapierre s'est de nouveau confondue dans la meute informe des morts vivants.

La face contre la terre boueuse, Fabien Tranchant semble toujours inconscient.

A-t-il compris?

Oui, car il vient de refermer lentement sa main.

Cinq minutes plus tard, un timide sourire se dessine sur les lèvres de Fabien. Mais lui aussi doit maintenant être prudent.

Même si dans cet océan de souffrances, un grand message d'espoir vient de lui être lancé, Fabien Tranchant doit néanmoins continuer à se lamenter.

Moi, Mélanie Lapierre, je viens te sauver. Attends mon signal. Tu vas bientôt t'enfuir de ce cimetière maudit, sois-en sûr.

Un message d'espoir insensé et inespéré dans l'esprit de Fabien Tranchant!

Mais tout de même bien réel dans le coeur de Mélanie Lapierre!

Chapitre VII
Deux ombres dans la nuit

Traîtrise fatale.

Tout semble maintenant prêt pour ce numéro fort attendu.

On sent de l'effervescence dans la meute sanguinaire. Mélanie constate avec étonnement que même ces créatures, habituellement froides et cyniques, n'arrivent pas toujours à garder leur calme.

Le retour de Justin Macchabée est accueilli par un flot continu de lamentations. Chez ces créatures nocturnes, c'est la routine habituelle, quoi!

«Contents ou pas, les morts vivants ont toujours l'air de se lamenter», pense Mélanie, tout en prenant soin de murmurer quelques gémissements de son cru.

Les cruels plaignards dévorent maintenant de leurs yeux globuleux le grand manitou du cimetière. Mélanie en profite pour se glisser derrière la tombe fermée servant de podium aux orateurs.

— Maintenant, nous y sommes, commence Justin Macchabée. Mais malgré tout, le traître a droit de faire un voeu, un tout dernier, comme le veut la tradition millénaire. Fabien Tranchant, avant de disparaître à jamais sous la bienfaisante caresse de nos tendres griffes, exprime-moi ton ultime désir.

La bienfaisante caresse de nos tendres griffes!

L'affreuse image!

Non, il n'est pas question de se rendre jusque-là. Mélanie a l'intention d'arrêter cette petite fête macabre bien avant que Fabien n'ait à subir d'autres outrages.

— Alors, réponds, qu'aimerais-tu faire de tes dernières secondes, vil chien galeux?

Péniblement, Fabien Tranchant se soulève de terre. Il cherche à s'approcher de l'orateur, mais les gardes du *brave* Justin Macchabée le repoussent brutalement.

— Maître incontesté des morts vivants..., gémit alors Fabien, mon voeu le plus cher serait de monter sur le podium pour m'excuser devant tous mes frères... Ainsi, je pourrai vous quitter en paix... Sinon..., sinon..., je serai hanté par trop de remords. Je t'implore de m'accorder cette ultime faveur.

Fabien a réussi à attendrir quelque peu la foule. Mais pas Justin Macchabée qui crie de rage.

— Maintenant que tu as exprimé ton voeu, place à la *Traîtrise fatale!* Si tu pensais vraiment que j'allais t'exaucer, Fabien Tranchant, tu es bien naïf. Exprimer, c'est suffisant! Exaucer, ce serait trop injuste pour tous les autres qui ont toujours été loyaux et francs!

Un affreux simulacre de justice!

— Qu'on tranche cette tête de chien galeux et qu'on dévore ce coeur de vil traître!

Là, c'est trop!

Plus une seconde à perdre!

Prête, pas prête, il faut foncer!

Les poings serrés, Mélanie Lapierre se prépare à intervenir. Par derrière, elle va sauter sur le podium et pousser Justin

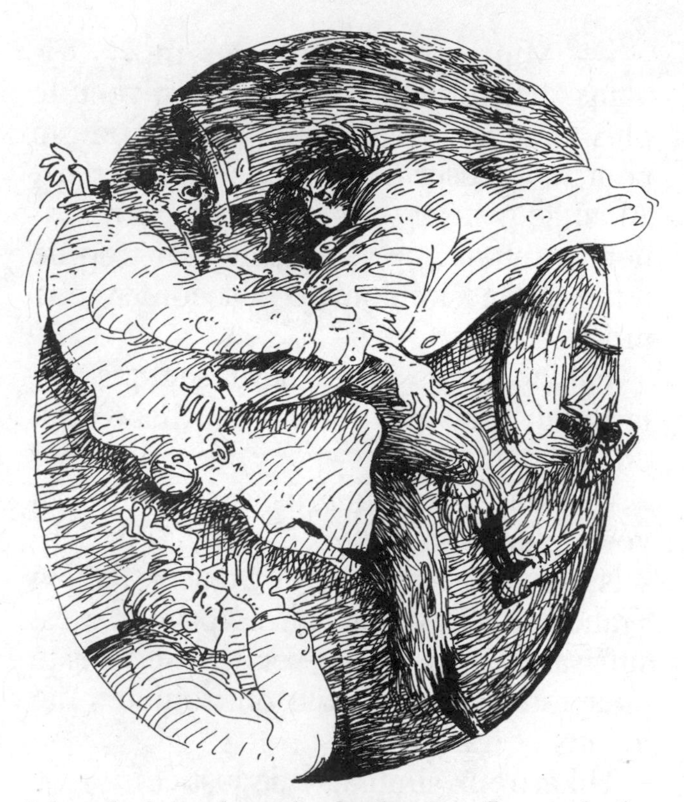

Macchabée dans la foule. Profitant de la confusion qui va suivre, Mélanie pourra alors lancer à Fabien la fiole qu'elle a préparée à son intention.

Un mélange explosif de jus de betterave, d'extrait de fraise et de toutes les vitamines en poudre qu'elle a pu trouver. De quoi remettre rapidement sur pied le pauvre Fabien!

Du moins, c'est à souhaiter!

Le temps de le boire!

À la vitesse de l'éclair, Mélanie bondit. L'effet de surprise aidant, elle réussit à faire perdre l'équilibre à Justin Macchabée. Il tombe rapidement par terre, au milieu de ses gardes du corps complètement médusés.

Profitant du brouhaha, Mélanie lance aussitôt la fiole à Fabien en lui criant de boire rapidement cette racine de vie.

Aussitôt attrapée, aussitôt bue d'un trait!

Grâce aux encouragements de Mélanie, Fabien reprend peu à peu une certaine vigueur. Après avoir entendu siffler autant de fouets, même un mort vivant est amoché.

Mais le plus difficile reste à faire: il faut maintenant arriver à s'échapper de ce lieu infect.

Mélanie sait bien que toutes ces griffes inquiétantes qui l'entourent ne demandent pas mieux que de plonger avidement dans sa chair.

N'écoutant cependant que son courage, Mélanie Lapierre fonce vers Fabien Tranchant. Heureusement, ce dernier s'est relevé. C'est maintenant évident, Fabien semble avoir été ragaillardi par la racine de vie.

— Mélanie, je t'avais pourtant écrit de...

— Fabien, ce n'est pas le temps de parler de ça, le coupe aussitôt Mélanie. On a autre chose à faire que de s'expliquer. Vite, avant que la trappe du caveau se referme.

Deux ombres dans la nuit!

Deux ombres qui courent à corps perdu vers la liberté!

— Merci, Mélanie, mille fois merci, arrive à dire Fabien au beau milieu de sa course.

— Je te rends la monnaie de ta pièce, Fabien. Une fois, tu m'as sauvée. Maintenant, c'est moi qui te sauve. Alors, tope là, on est simplement quittes.

Au loin, la clôture métallique est en vue.

Heureusement, Fabien Tranchant connaissait les sentiers du cimetière par coeur. En apercevant la sortie, les deux fuyards piaffent d'impatience à l'idée de pouvoir enfin quitter ce lieu sinistre.

Mais Mélanie sait bien que, durant la

nuit, la porte du cimetière est toujours fermée à double tour.

— Maintenant, Fabien, tu me suis, lance Mélanie à son compagnon.

Elle se dirige vers la droite. Quand elle aperçoit la brèche sous la clôture de fer, elle n'arrive plus à contenir sa joie. Vivement, Mélanie Lapierre se faufile par la fissure et franchit la clôture qui protège le cimetière de tous les indésirables.

Mission Sauvefachant accomplie!

Et liberté enfin retrouvée!

Derrière elle, Mélanie entend brusquement un cri déchirant.

Quelques mètres seulement avant la brèche de la clôture, Fabien Tranchant semble soudain immobilisé. Pourquoi n'avance-t-il plus? Mélanie s'approche et aperçoit des dizaines de mains squelettiques qui retiennent Fabien. Ces mains qui sont tout à coup sorties de la terre empêchent Fabien Tranchant d'avancer.

D'ignobles et effroyables mains!

— Va-t'en, Mélanie, sauve-toi... Il n'y a rien à faire, je t'avais pourtant prévenue, ils finiront toujours par m'attraper... Tu sais, Mélanie, c'est plus facile d'entrer dans un cimetière que d'en sortir.

Au loin, Mélanie voit maintenant s'approcher la meute de morts vivants. Ils ont dû prendre un raccourci. Et à leur tête, elle reconnaît la démarche et la longue silhouette décharnée de Justin Macchabée.

Si près du but!

Dans la nuit, le rire diabolique de Justin Macchabée se fait entendre, suivi de son horrible voix caverneuse!

— Fabien Tranchant, tu croyais nous échapper avec l'aide de cette jeune emmerdeuse. Mais tu avais oublié qu'on ne quitte pas aussi facilement le pays des morts vivants. Surtout quand on est le pire des traîtres.

Désemparée, Mélanie Lapierre ne sait trop comment réagir.

— Va-t'en, Mélanie, je t'implore de partir, lui lance alors un Fabien Tranchant résigné. Tu vois bien que Macchabée et sa bande s'approchent de plus en plus... Tu les vois bien aussi ces dizaines de mains qui m'empêchent d'avancer... Il n'y a plus rien à faire, non, vraiment plus rien, tous ces obstacles sont devenus insurmontables... Et cette fois, Mélanie, oublie-moi pour de bon. Adieu, Mélanie, adieu...

Quelques instants plus tard, Mélanie

aperçoit les morts vivants qui commencent à enchaîner Fabien. Par les mains, par le cou et par les chevilles si bien que le pauvre Fabien peut à peine bouger. Par la suite, le cortège funèbre se met en marche. Au plus vite, on veut ramener Fabien Tranchant au milieu du cimetière, dans le caveau fatidique qui l'attend.

En voyant cette horrible scène, Mélanie Lapierre ne peut s'empêcher de verser une larme... Puis une deuxième.

Mélanie Lapierre sait qu'elle n'a maintenant plus le choix: elle doit abandonner Fabien Tranchant à son impitoyable destin.

Mélanie posc cnsuitc un dernier regard vers son courageux sauveur, un regard embué de larmes. Un ultime regard hanté par toutes les tristesses du monde!

«Justin Macchabée, sois sûr que je reviendrai», ne peut s'empêcher de crier Mélanie Lapierre à l'ignoble tyran du cimetière, avant de s'éloigner.

La gorge pleine de sanglots!

Et le coeur débordant de rage!

Fin

Épilogue
Lima, Sofia, Ouganda, Brasília et Addis-Abeba

Le générique du film défile maintenant sur l'écran géant du cinéma Au Vilain Croque-Mort. On y apprend que c'est Emma Lerouge-Sang qui a porté à l'écran *Les griffes de la pleine lune,* le dernier roman de Blanche Dépouvante. Et que la musique lugubre est de Hiboud Ripa-Souvenh.

Emma, Hiboud et Blanche, toute une équipe! Mais à inviter seulement si on a le goût de faire des cauchemars.

— Stéphanie, il est temps de rentrer à la maison.

— Un instant, papa...

Stéphanie Perrault veut savourer jusqu'aux dernières images de ce film. Elle n'aurait jamais voulu rater cette adaptation cinématographique du dernier roman de Blanche Dépouvante, elle adore tellement cette auteure.

— Bon, je vais t'attendre à la porte du cinéma, s'impatiente quelque peu son père en se levant et en se dirigeant vers la sortie.

Le père de Stéphanie Perrault est bien nerveux et semble même inquiet. Aussitôt qu'il voit apparaître sa fille, il ne peut s'empêcher de l'interroger.

— Réponds-moi franchement, Stéphanie, serais-tu capable de faire la même chose que Mélanie Lapierre? Pourrais-tu partir de la maison en pleine nuit sans me prévenir?

— Ça dépend, répond Stéphanie, le sourire aux lèvres.

— Comment ça, ça dépend?

— Voyons, papa, qu'est-ce qui te prend de t'inquiéter ainsi? Ta fille sait faire la différence entre un film et la réalité, pas toi?

Le père de Stéphanie comprend bien les arguments de sa fille. Mais il voudrait tellement la protéger, lui éviter le pire, ne lui offrir que le meilleur. D'ailleurs, s'il

Les griffes de la pleine lune

arrivait malheur à sa Stéphanie, il ne sait pas comment il pourrait surmonter cette épreuve.

— Papa, si tu veux absolument te casser la tête avec quelque chose, on va jouer au jeu des capitales. À ce jeu-là, je suis aussi bonne que Mélanie Lapierre. Et meilleure que toi, mon cher papa.

— C'est ce qu'on va voir, répond malicieusement le père de Stéphanie qui est maintenant plus détendu.

— Tu commences, papa?

C'est parti.

— Lima, Sofia, Ouganda, Brasília et Addis-Abeba, ça te dit quelque chose?

La réponse de Stéphanie Perrault ne tarde pas.

— Le Pérou, la Bulgarie, ha, ha, ha! tu ne m'auras pas, avec ton Ouganda, mon petit papa, le Brésil et finalement l'Éthiopie.

Stéphanie Perrault sourit à son père, puis continue ses explications.

— Ma foi, tu te prends pour le prof de Mélanie Lapierre. L'Ouganda c'est comme le Togo au début du film, les deux sont des pays, pas des capitales. Tu vois, Mélanie Lapierre et moi, on n'est pas tombées dans le panneau.

Rempli de fierté, le père de Stéphanie sourit à sa fille. Stéphanie aime bien sentir la complicité qui existe entre son père et elle.

Durant quelques instants, elle a ainsi pu oublier la grande question qu'elle ne cesse de se poser: un jour, Mélanie Lapierre arrivera-t-elle à sauver Fabien Tranchant?

Stéphanie Perrault le souhaite, mais elle en doute.

Pourtant, avec l'intrépide Mélanie Lapierre, on ne sait jamais!

Pas plus d'ailleurs qu'avec l'imprévisible Blanche Dépouvante!

Bertrand Gauthier

LES TÉNÈBRES PIÉGÉES

Illustrations
de Stéphane Jorisch

la courte échelle

Prologue
Des hurlements dans la nuit

Dans la nuit, un vague murmure.

Puis, quelques clameurs étouffées.

Aussitôt suivies d'une cascade de hurlements.

Brutalement tiré de son sommeil, le père de Stéphanie Perrault se précipite hors de son lit. Tout en enfilant son peignoir, il se dirige promptement vers la chambre de sa fille.

Dans son empressement, son genou heurte le rebord d'une commode. Malgré la douleur, Charles-Antoine Perrault ne ralentit pas sa course. À peine a-t-il le temps d'allumer la lampe de chevet que sa fille se jette à son cou.

— Paaa... paaa... paaa... paaa... répète-t-elle en sanglotant.

— C'est fini, Stéphanie, c'est bien fini, la rassure son père.

Tout en pensant à son genou amoché, il la serre dans ses bras.

— Il y a eu plus de peur que de mal, marmonne-t-il.

— C'était un cauchemar, papa, un de ces affreux cauchemars...

— Je te crois sur parole, tu n'as pas l'air de quelqu'un qui vient de rêver au Prince Charmant, glisse ironiquement monsieur Perrault à sa fille.

Quand Stéphanie esquisse un sourire, Charles-Antoine Perrault voit qu'il a atteint son but. Sa fille apaisée, il peut retourner vers sa chambre. Allongé sur son lit, les yeux fermés, il songe à sa Stéphanie.

À sa chère fille dont ce sera sous peu l'anniversaire. Dans moins de soixante-douze heures, en effet, sa seule et unique enfant fêtera ses douze ans.

Difficile à imaginer, déjà douze ans!

«Ce jour-là, ma petite Stéphanie, si tout

se déroule comme prévu, tu auras la surprise de ta vie», murmure Charles-Antoine Perrault avant de se remettre à ronfler.

Chapitre I
Comme la plus tenace des sangsues

Vaincue, Mélanie Lapierre n'a plus le choix: elle doit s'enfuir. Pourtant, si près du but. À peine trois ou quatre enjambées et Fabien Tranchant était sauvé. Ce même et valeureux Fabien qui l'avait protégée lors d'une première incursion nocturne dans le cimetière.

Inconsolable, Mélanie lance un dernier regard vers le territoire de l'infâme Macchabée. Les jambes flageolantes, elle se résigne à faire un arrêt. Coup de chance, à l'intersection de la rue Ravi-Dlavie et de l'avenue Lever-Croquet, elle aperçoit un banc. Une fois assise, des images cauchemardesques l'envahissent.

Mélanie Lapierre ne cesse de revoir ces mains décharnées surgir de la terre, ces doigts squelettiques s'agrippant aux chevilles de Fabien Tranchant. Dans la quiétude de la nuit, elle réentend les voix sépulcrales du Comité des griffes de la mort gémir hideusement son oraison funèbre.

Pour avoir voulu libérer
Tranchant ce vil traître
et osé ainsi défier
Macchabée notre maître
longue sera ton agonie
1980-1992 Lapierre Mélanie
condamnée à être enterrée
vivante et bien enchaînée.

Se mesurer à des morts-vivants? Défi férocement inhumain!

Vite, s'éloigner de cette ignoble confrérie! Sans plus attendre, effacer de sa mémoire les abominations commises par le sanguinaire Comité des griffes de la mort!

Soulagée d'avoir pris la décision d'abandonner cette lutte inégale, Mélanie Lapierre se lève. Elle traverse allègrement l'avenue Lever-Croquet et fonce en direction de chez elle.

— Mélanie... Mélanie...

Croyant être victime d'hallucinations, la jeune fille ne s'inquiète pas trop d'entendre ces voix fantomatiques. Elle accélère plutôt le pas, impatiente de retrouver le lit douillet qui l'attend à la maison.

— Mélanie... Mélanie... ne nous quitte pas... tu es notre dernier espoir... Oui, notre tout dernier espoir...

Ces phrases ne sont pas le fruit de l'imagination fertile de Mélanie Lapierre. Au contraire, ces mots proviennent bel et bien du cimetière.

«Mais cette meute de morts-vivants ne cessera jamais de me pourchasser», s'inquiète une Mélanie secouée par ce nouvel appel de détresse.

«Dernier espoir... tout dernier espoir...»

Dans la tête de Mélanie, tels de véritables coups de canon, ces bouts de phrases ne cessent de résonner. Sournoisement, un nouveau doute vient de se glisser dans l'esprit déjà fortement ébranlé de la jeune fille.

«Et si c'était vrai qu'il restait un tout

Les ténèbres piégées

dernier espoir? se répète-t-elle en ralentissant sa cadence. Aussi mince soit-il, cet espoir-là devrait me donner des ailes. Oui, il faut retourner le secourir. Oui, c'est moi, Mélanie Lapierre, qui dois libérer Fabien Tranchant des griffes de Justin Macchabée.»

Comme la plus tenace des sangsues, ce doute se loge irrévocablement dans son esprit. Rétablir la justice, envers et contre tous les périls!

Si elle écoutait cette voix intérieure, Mélanie irait se jeter dans la gueule vorace des hyènes à Macchabée. Pour ne pas se laisser attendrir, elle lutte âprement.

«Au fond, il n'y a rien de déshonorant à refuser d'affronter des créatures d'outre-tombe», se dit-elle en réduisant une nouvelle fois sa cadence.

L'obsession insensée de sauver Fabien Tranchant n'en continue pas moins de hanter Mélanie. La jeune fille doit aussi admettre qu'elle digère mal sa récente défaite.

«Tout compte fait, je n'ai pas le goût de passer le reste de ma vie à me considérer comme la plus lâche d'entre les lâches», s'avoue-t-elle franchement.

Dans le silence de cette longue nuit, Mélanie Lapierre s'immobilise. Piquée par la curiosité, elle vient de jeter un regard furtif vers le cimetière. Au loin, éclairées par la pleine lune, quelques silhouettes agitent mollement les bras. Pas de doute, ces créatures font signe à la jeune fille de venir les rejoindre.

Vigilance oblige, Mélanie doit se méfier.

Quand on gravite dans les parages de la bande à Macchabée, pas de place pour les écervelées! Dans cet environnement hostile, la moindre étourderie s'avère fatale. Avec le temps, il ne faut pas l'oublier, les morts-vivants sont devenus les maîtres absolus de l'illusion et de la supercherie.

Du grand art, incontestablement!

Malgré ses craintes, Mélanie se rapproche prudemment du cimetière. La voyant s'avancer, les quelques silhouettes s'agitent. Et sans autre préambule, en se serrant les unes contre les autres, les cinq créatures se mettent à chanter.

Étonnamment, leurs voix vibrent à l'unisson. Si bien que Mélanie ne perd pas un mot de la complainte de cette chorale plutôt inusitée.

Il reste à peine deux heures
et toi Mélanie telle notre soeur
il faut venir nous aider,
car nous pauvres quintuplées
jamais ne pourrons triompher
du despote aux mille cruautés
de ce plus que centenaire
de cet infâme tortionnaire
de ce ténébreux des rancoeurs
de ce Justin dit le Macchabée.

À environ dix mètres du cimetière, Mélanie s'arrête. À travers la clôture grillagée, elle distingue les interprètes du message de détresse. Tenaces, les résidantes

du cimetière continuent néanmoins à lui faire signe d'avancer.

«Je n'aurais pas dû prêter l'oreille aux propos de ces créatures, regrette amèrement Mélanie. Comment ai-je pu perdre de vue qu'elles cohabitent avec le tyran des ténèbres? Et qu'à ce titre, elles se nourrissent et s'abreuvent fatalement aux mêmes endroits que l'infâme tortionnaire.»

Pour Mélanie, il est encore temps de tirer sa révérence, de prendre ses jambes à son cou, de rebrousser chemin, de plier bagage, de s'éclipser sans demander son reste, de s'enf...

— Ne pars pas avant de nous avoir écoutées, implore la plus courte des quintuplées qui, par cette intervention, cherche à enrayer les hésitations de la jeune fille.

— Nous voulons sceller un pacte avec toi, reprend sa voisine de gauche.

— Oui, nous allons te confier un petit cahier, ajoute la quintuplée du centre.

— Après avoir lu ce qu'il contient, complète la quatrième des soeurs, si tu décides de ne pas nous venir en aide, nous te promettons de ne plus insister.

À première vue, l'offre semble intéressante.

Et puis, qu'y a-t-il d'inquiétant à lire un cahier? Ou de vraiment dangereux? Au contraire, une telle lecture pourrait se révéler fascinante.

— Parole de Jacinthe... de Lilas... de Marguerite... de Pâquerette... et de Rose Desvents, tu ne risques rien, s'engagent à tour de rôle les quintuplées.

Les soeurs Desvents tentent ainsi de vaincre les dernières réticences de la jeune fille. À demi rassurée, mais ne pouvant plus résister à la tentation de parcourir les pages de ce mystérieux cahier, Mélanie finit par accepter la proposition.

— À une condition, précise-t-elle. Dès que vous m'aurez lancé le cahier, vous vous éloignez de la clôture. Toutes les cinq, sans exception. Sinon, je décampe.

Voeu immédiatement exaucé!

«Ce ne sont pas ces quelques pages griffonnées qui vont changer le cours de ma vie», se dit Mélanie.

Elle va cueillir dans l'herbe humide le calepin lancé par Rose Desvents, la plus courte des quintuplées. Retournant s'asseoir sur un des bancs de l'avenue Lever-Croquet, Mélanie ouvre son sac à dos et en retire une lampe de poche.

Les ténèbres piégées

En éclairant la couverture du cahier, elle découvre que des mots y sont inscrits. Pour l'instant, cependant, dissimulés sous une mince couche de boue séchée, ils sont indéchiffrables.

Mais en grattant soigneusement, des lettres entières apparaissent. Gravés dans ce cuir noirci, des mots commencent à se former. Six mots, en forme de dédicace. Six mots doux qui semblent prendre un malin plaisir à défier le temps.

À ma seule et unique Colombine

Intriguée par cette Colombine, Mélanie entreprend la lecture du mystérieux cahier. Une lecture qui la propulse dans un autre siècle.

En plein coeur d'un seul et unique grand amour.

Chapitre II
Au coeur de la vanille

Le 10 juin 1839

Depuis que je l'ai aperçue, place du marché Lapuçaloreille, j'ai peine à garder mon calme. À l'abri des regards indiscrets, dissimulé derrière le plus odorant des eucalyptus, je fais le guet.

M'enivrer du doux arôme de vanille de mon grand amour. Me sentir de nouveau troublé à la seule pensée de voir apparaître sa gracieuse silhouette. Ne vivre que dans l'espoir de me blottir enfin dans ses bras si magnifiquement dorés.

Et y plonger pour l'éternité!

Oui, grâce à cette fleur divine, chaque

jour de ma vie s'enlumine des plus beaux arcs-en-ciel. Oui, grâce à cette délicieuse oasis, mon coeur n'est plus un désert. Oui, grâce à cette perle unique, l'éternité a un goût de miel.

«Si tous les garçons du siècle précédent étaient aussi sensibles et romantiques que celui-là, alors je suis née un siècle trop tard», pense Mélanie en tournant avec fébrilité la première page du cahier.

Le 13 juin 1839

Quand j'aperçois mon amour, j'éprouve une si grande émotion que mon corps se met à chanceler. Les jambes tremblotantes, je m'assois alors au pied de l'eucalyptus.

Comme si une catastrophe était imminente, mon esprit s'affole. Et tel un métronome détraqué, mon coeur s'emballe. Au point où j'ai parfois peur qu'il éclate en mille miettes.

Oui, oui, je suis amoureux, de la pointe de mon cheveu le plus long jusqu'à l'extrémité du plus grand de mes orteils, je suis follement amoureux.

Mais comment le lui faire comprendre?

«Est-ce bien cette seule et unique Colombine qui bouleverse autant ce garçon? se questionne Mélanie. Si oui, comme je l'envie de soulever une telle passion!»

Et avidement, la jeune fille replonge dans sa lecture.

Le 17 juin 1839

Ce matin, quand ma bien-aimée est sortie de la maison, je l'ai suivie. De loin, à l'abri de son regard. S'il fallait qu'elle se rende compte que je l'espionne, je serais si honteux. Si elle parvenait à me démasquer, j'ose à peine imaginer la scène.

Confronté à tant d'éclatante beauté, je deviendrais aussi rouge que l'intérieur du plus dodu des melons. Déboussolé, je bafouillerais des âneries jusqu'à me couvrir de ridicule. Et s'envolerait alors tout espoir de conquérir le coeur de mon bel ange!

Pour l'instant, je préfère rester invisible. Invisible et profondément amoureux. Profondément amoureux, mais aussi vivement inquiet.

Je ne cesse de m'interroger: est-ce que ma douce Colombine finira par devenir amoureuse de moi? Aussi follement amoureuse de moi que je le suis d'elle?

Je me permets d'en douter.

Surtout quand je la vois lancer des regards invitants à tous ces garçons. Et même au bras de sa mère, elle ne se gêne pas pour afficher ses plus charmants sourires.

En soupirant, Mélanie lève les yeux vers la pleine lune. Non pas qu'elle ait perdu de l'intérêt pour les péripéties amoureuses de cet enflammé du dix-neuvième siècle. La jeune fille se pose plutôt des questions sur les agissements de ce passionné d'un autre âge.

«S'il est aussi bavard qu'une statue de marbre, comment cette pauvre Colombine pourrait-elle deviner qu'il est follement amoureux d'elle? se demande Mélanie. Plus timide que ce garçon, tu te déguises en courant d'air!»

Le 22 juin 1839

Dans peu de temps, le soleil se jettera dans la mer. Et je devrai disparaître sans avoir vu ma belle. De toute la journée, elle ne s'est pas montré le bout du nez.

Cette nuit, il faudrait que je parvienne à dormir. Depuis l'arrivée de Colombine dans ma vie, le sommeil me boude. J'ai hâte, tellement hâte au lendemain matin, que ma fébrilité me tient éveillé.

Avant de quitter les lieux, appuyé sur mon eucalyptus, je me laisse aller à une douce rêverie. S'ils étaient encore vivants, que me conseilleraient donc mes grands-parents?

Un vrai miracle, je les entends.

— Pour conquérir le coeur de ta belle, il suffit de devenir un héros, chuchote grand-père Dinosaurius, de sa voix légèrement éraillée.

— Oui, mon cher petit Pierrot, ce héros dont ton ange chéri rêve secrètement depuis des lunes et des lunes, souffle tendrement grand-mère Léolienne.

Alors, poser un geste héroïque.

Au détour d'un sentier, comprendre que mon amour est victime d'une embuscade. Bondir pour réussir à la sauver. Au dernier instant, empêcher mon bel ange et toute sa famille de se faire lâchement égorger. Les sauver d'une mort certaine, quel exploit remarquable!

Mais ma bravoure ne s'arrêterait pas là.

Sans relâche, je pourchasserais ces cinq brigands. À la nuit tombée, je me glisserais dans leur repaire. Profitant de la surprise, je les ferais prisonniers. Et le lendemain, ficelés comme des saucissons, je les livrerais aux pieds de ma belle.

À mon tour, aux yeux de mon ange, je

deviendrais un ange.

Peut-être le seul et unique ange chéri au coeur de sa vie.

Stoppant sa lecture, Mélanie songe que ce garçon est vraiment bizarre. À l'en croire, il serait prêt à affronter les pires bandits pour conquérir le coeur de sa bien-aimée. Par contre, en attendant cette flambée héroïque, il semble incapable de s'approcher de son ange.

«Et surtout pas de lui glisser le moindre mot à l'oreille», ajoute la jeune fille, en se rendant compte qu'il reste peu de pages à lire.

Le 23 juin 1839

Fin d'après-midi.

Mes chers grands-parents, pardonnez-moi si je n'observe pas vos consignes. Ni brigands ni embuscade ne pointent à l'horizon. Pour l'instant, il apparaît donc impossible à votre petit Pierrot de chausser les bottes d'un grand héros.

Le temps presse, cependant, et ma décision est prise.

Demain sera le grand jour.

Il est plus que temps de faire la grande déclaration à ma belle. Franc et direct, je n'attendrai pas qu'elle sorte de chez elle. Je prendrai l'initiative, je cognerai à sa porte et, en lui offrant le plus coloré des bouquets, je lui confierai mon amour.

Demain matin, à bas la timidité!

Devant mon ange radieux, finie la retenue!

À l'aube, j'ai rendez-vous avec mon amour.

Mélanie se réjouit que ce grand timide se décide enfin à agir. Néanmoins, elle demeure sceptique.

«Je le croirai seulement quand il l'aura fait», se dit-elle en retournant avec empressement à sa lecture.

Le 24 juin 1839

Que se passe-t-il? Pourquoi s'agite-t-on aussi follement autour de la maison de la famille Dulcinée?

En quelques minutes, trois médecins sont entrés précipitamment dans la demeure de mon ange. Même s'il se fait tard, il est hors de question de rentrer chez moi.

Heureusement, la pleine lune fait sa part et ne me laisse pas dans la grande noirceur. Tout ce que je souhaite, c'est que ma bien-aimée ne devienne pas orpheline. S'il fallait qu'elle perde l'un de ses parents! Elle serait en deuil et je devrais mettre mon amour en quarantaine.

Je saurai t'attendre, ô toi, ma douce Colombine!

Le temps qu'il faudra, ô très chère orpheline!

Mélanie trouve ce Pierrot plutôt fataliste. En criant ciseau, il imagine la pire des tragédies. Mais, selon Mélanie, le jeune homme a une bonne raison de souhaiter un malheur aux parents de sa douce Colombine. En effet, elle soupçonne cet obstiné romantique de chercher à retarder l'échéance que, pourtant, il s'est librement fixée.

«Ne vient-il pas de s'engager à déclarer son amour à Colombine, et ce, dans les plus brefs délais? Alors il doit regretter d'avoir fait preuve d'une si grande témérité», se dit la jeune fille, de plus en plus convaincue que le fol amoureux veut gagner du temps.

Le 25 juin 1839

Depuis trois jours, mon ange ne sortait plus de la maison et je viens de comprendre pourquoi.

La rumeur veut que ma Colombine ait été victime d'une fièvre aussi soudaine que dévastatrice. Des témoins racontent qu'elle dépérissait à vue d'oeil. Impuissants, les médecins ne purent que constater la progression irréversible du terrible mal qui la rongeait.

Et moi, Pierrot Folamour, moi qui l'aimais du plus profond de mes entrailles, comment vais-je survivre à ma seule et unique Colombine?

Après avoir placé sur ma route la plus radieuse des filles, pourquoi la vie vient-elle me l'arracher aussi sournoisement? Et tout juste au moment où j'allais lui faire part de l'immensité de mon amour?

Pourquoi inscrire ainsi la mort au fond de mon coeur?

Cruelle vie, pourquoi une telle trahison?

Pourquoi donc?...

Le cahier prend fin sur ce point d'interrogation, suivi de points de suspension, laissant Mélanie pantoise. La jeune fille est certaine que cette histoire ne peut pas se terminer ainsi. Grâce à son imagination débordante, ce grand timide a bien pu inventer de toutes pièces cette tragédie invraisemblable.

«Bon, si je veux en savoir plus, je n'ai pas d'autre choix que de retourner voir les quintuplées Desvents», conclut Mélanie, en se dirigeant vers la grille du cimetière.

À l'approche de la jeune fille, les quintuplées restent impassibles. Le cahier serré contre sa poitrine, Mélanie n'ose pas poser la première question. Par où commencer? Voyant ses hésitations, Rose Desvents prend l'initiative.

— Il y a une suite à cette histoire...

— ... mais si tu la veux, enchaîne Jacinthe Desvents, la plus grande des cinq soeurs, il faut d'abord nous remettre le cahier que tu as entre tes mains.

Piégée, Mélanie devine qu'il est trop tard pour reculer. Plus question de quitter les parages du cimetière sans en avoir le coeur net. Elle doit se rendre jusqu'au bout du récit de ce Pierrot Folamour. Avant de retrouver son lit, il faut qu'elle sache si cette Colombine Dulcinée est bien morte et enterrée.

Dès que le cahier est revenu aux pieds des quintuplées, un deuxième carnet atterrit dans l'herbe humide, non loin de Mélanie. Avec empressement, la jeune fille lit l'inscription gravée sur la couverture.

À ma Colombine Dulcinée
que toujours j'aimerai

Que Colombine Dulcinée le sache ou non, les jeux sont faits. Pour toute l'éternité, elle sera le seul et unique grand amour de Pierrot Folamour.

Et que Colombine désire ou non qu'il en soit ainsi ne semble pas avoir la moindre importance.

Chapitre III
Avec le sang des pourquoi

Le 3 septembre 1839

Depuis le départ précipité de Colombine, j'étais devenu une peine ambulante.

Ambulante, mais aussi permanente.

Pourquoi faire l'effort de me nourrir? Pourquoi chercher à étancher ma soif? Pourquoi persister à respirer, puisque mon ange n'est plus là?

Consumé par un profond désespoir, mon esprit s'égara. Puis, sous la pression de cette souffrance trop aiguë, mon coeur cessa de battre.

«Pourquoi naître si c'est pour subir les pires tourments?» fut le cri ultime que je lançai avant de passer de vie à trépas.

Allongé au pied de mon eucalyptus préféré, c'est ainsi que j'ai quitté cette terre de malheur.

Cette terre si cruelle et trop injuste!

«Quoi, ce Pierrot Folamour se serait laissé mourir d'amour!» s'exclame une Mélanie incrédule.

Férocement, la jeune fille refuse de croire à ce sombre scénario. Mélanie demeure persuadée que cet écorché vif a dû rajuster son tir. Au dernier instant, malgré une souffrance insoutenable, il a su faire le choix de continuer à vivre.

«De toute façon, s'il est en mesure de raconter son histoire, c'est que ce grand tourmenté est loin d'être mort», tente de se convaincre Mélanie en reprenant sa lecture.

Le 20 juillet 1939

Allongé dans ma tombe, privé de ma Colombine, j'ai appris à devenir insensible à mon malheur. Peu à peu, ma colère s'est refroidie et je me suis résigné à mon sort.

Bizarrement, une nuit – peut-être était-ce un jour, mais comment le savoir quand on ne voit toujours que du noir –, j'ai été tiré de ma torpeur par un hoquet.

Un hoquet tenace et violent.

Depuis quand étais-je immobilisé dans ma tombe? Deux heures, dix jours, vingt semaines, trente ans, un siècle? Pas la moindre idée.

À force de hoqueter, ma carcasse commença à se dépoussiérer. Mes os s'entrechoquèrent et je sentis resurgir des sursauts de révolte. Pas de doute, dans mon coeur pétrifié, l'indignation grondait.

Encore emprisonné dans mon tombeau, je décidai de me venger. Comme le plus violent des coups de tonnerre, j'allais frapper l'ennemie de plein fouet.

«Crois-moi, injuste vie, tu ne l'emporteras pas en paradis», ai-je alors juré, en constatant avec soulagement que je venais de vaincre mon hoquet.

Mélanie doit se rendre à l'évidence: en 1839, Pierrot Folamour a cessé de respirer. Et cent ans plus tard, il vient de reprendre conscience et mijote sa vengeance.

«Pourquoi les quintuplées Desvents me font-elles lire cette histoire?» se demande Mélanie, aussi décontenancée par la tournure du récit que par les intentions cachées des quintuplées.

Le 15 août 1939

N'avoir qu'un seul projet!

Oui, un seul mais grandiose projet: rétablir la justice. Oui, obliger cette insensible vie à s'agenouiller dans la terre humide et sale! Oui, forcer cette usurpatrice à assister à la vengeance légitime des victimes arbitraires de ses innombrables abus.

«Vie, tu mérites d'emblée cette humiliation. En me privant de ma Colombine, juste au moment où j'avais tant besoin d'elle, tu ne pouvais commettre pire iniquité. Et tu vas payer chèrement ton impardonnable cruauté», ai-je crié du fond de mes ténèbres.

À mon tour de répandre le sang de tous ces pourquoi laissés lâchement sans réponse.

Vie, jusqu'à la dernière goutte, ton sang coulera!

Vie, jusqu'au coeur de la terre, j'irai arracher la dernière de tes racines!

Vie, jusque dans les plus lointains nuages, je me ferai un plaisir d'anéantir le moindre de tes élans.

Oui, vie, le décompte est commencé et, j'en fais le serment solennel, tu y perdras jusqu'à ton dernier souffle.

Mélanie a peine à croire que ce garçon timide et sans malice, amoureux fou de Colombine Dulcinée, cultive des intentions aussi violentes.

«Une trop grande souffrance peut-elle se transformer en autant de cruauté aveugle?» s'interroge la jeune fille, impressionnée par cet élan vindicatif de Pierrot Folamour.

Pour se rassurer, Mélanie jette un regard vers le cimetière. Elle aperçoit les quintuplées Desvents qui, comme elle l'a déjà observé, sont serrées les unes contre les autres.

Leur visage glissé entre les barreaux de la clôture, elles implorent Mélanie de ne pas abandonner sa lecture.

«Tu es sur le point de tout comprendre», lancent-elles en choeur à la jeune fille.

Le 3 septembre 1939

Si Colombine n'a pas eu le droit de vivre, pourquoi tous ces escrocs continuent-ils à exister, eux? Non, ces imposteurs n'avaient pas le droit de prendre la place de Colombine.

Tous ces charlatans vont payer le prix de leur attachement viscéral à toi, misérable petite vie. Je vais les chasser, moi, toutes ces minables fourmis humaines.

Cette nuit, je quitterai mon tombeau et renouerai avec l'éclatante pleine lune.

Désormais, il faut oublier le timide Pierrot Folamour. Et rendre hommage au nouveau prince qui saura anéantir tous les pourquoi.

Oui, place au plus légitime des justiciers!

Oui, acclamez le foudroyant Justin Macchabée qui vient d'être propulsé hors de son tombeau!

Enfin et pour de bon!

Justin Macchabée et Pierrot Folamour, une seule et même créature? Le choc est brutal et fait bondir Mélanie de son banc. En côtoyant les morts-vivants, la jeune

Les ténèbres piégées

fille a pourtant appris qu'ils sont souvent imprévisibles.

Logiquement, on les attend à droite; en nous narguant, ils apparaissent à gauche. De bonne foi, on les cloue dans leur cercueil pour l'éternité; en ricanant, ils se plaisent à revenir nous hanter. Et seulement quand bon leur semble, les humains doivent s'y faire!

Y compris Mélanie Lapierre!

Chapitre IV
Rideau sur le Grantanic!

S'éloignant lentement du banc où elle était assise, Mélanie s'avance vers le cimetière. Peu à peu, elle se fait à l'idée que Justin Macchabée a déjà existé sous une autre identité.

«Il y a fort à parier que certains morts-vivants ne se contentent pas de se promener d'un siècle à l'autre, songe la jeune fille décontenancée. Il est même probable que les plus intrépides se baladent d'un millénaire à l'autre.»

D'accord pour une autre vie!

Sûrement dissimulé dans la peau d'un

guillotineur, d'un égorgeur ou d'un éventreur, tous plus sadiques les uns que les autres! Sous les traits d'un aventurier brutal ou d'un mercenaire sans scrupule, passe encore! Mais Mélanie résiste à la pensée que ce mutilateur de Macchabée ait déjà vécu dans la peau d'un garçon aussi timide et romantique que Pierrot Folamour.

Étourdie par toutes ces réflexions, la jeune fille n'en continue pas moins de s'approcher du cimetière. Au point qu'elle se retrouve à trois mètres à peine des quintuplées Desvents.

À son grand étonnement, Mélanie ne se sent pas effrayée. Bizarrement, elle est plutôt touchée par le regard de ces résidantes du cimetière. Un regard à la fois éploré et suppliant, les mêmes deux yeux troublants multipliés par cinq. Rien à voir avec ces regards hideux et perfides de la bande à Macchabée!

Anxieuses, les quintuplées se demandent si la jeune fille va accepter de les aider. Elles souhaitent tant que Mélanie Lapierre s'occupe de nouveau des affaires courantes du cimetière de l'avenue Lever-Croquet.

Immobiles, les cinq soeurs demeurent discrètes. Elles se font un point d'honneur de respecter ainsi la promesse faite à Mélanie. Dans leur boîte crânienne, des bouts de phrases résonnent et rappellent leur tout récent serment.

«Après avoir lu ce que contient le cahier... si tu décides de ne pas nous venir en aide... nous te promettons de ne plus insister...»

Déchirées, mais n'ayant qu'une parole, les quintuplées restent muettes. Pourtant, Rose Desvents et ses quatre soeurs comptent sur Mélanie Lapierre. Sur sa vitalité et surtout sur sa jeunesse! Sans la collaboration de la jeune fille, elles savent qu'il est inutile de songer à immobiliser le tyran des lieux.

Les mains agrippées à la clôture du cimetière, Rose consulte ses voisines. Sans qu'un mot ne soit échangé, la décision est prise: au nom des quintuplées, Rose va fournir des explications additionnelles à Mélanie.

En agissant de la sorte, aucune des soeurs Desvents n'a l'impression de trahir son engagement. Après tout, expliquer est une chose, insister en serait une autre.

— Terrassée par une fièvre subite et mystérieuse, Colombine est morte en quelques heures, par un soir de pleine lune, entreprend de raconter Rose.

Tout en écoutant, Mélanie ne cesse de réfléchir. Elle prend alors conscience d'un fait étonnant: au cours de cette longue nuit, sa vision du tortionnaire s'est modifiée.

Heureusement, par contre, une chose ne change pas: dans l'esprit secoué de Mélanie, Justin Macchabée demeure et demeurera toujours un tyran. Mais un tyran pour lequel la jeune fille se surprend à éprouver un soupçon de compassion.

«Les terribles souffrances de Pierrot Folamour ne justifient en rien les violences aveugles de Justin Macchabée», se raisonne Mélanie, tentant de se prémunir contre les effets néfastes d'une sensiblerie mal placée.

— Et ça fait plus de cinquante ans que notre cimetière a hérité de cet incurable sadique, reprend Jacinthe Desvents, d'un ton étonnamment vigoureux.

Elle explique ensuite que, de leur vivant, ses soeurs et elle étaient des comédiennes professionnelles, passionnées de théâtre.

Sans relâche, de ville en ville, elles allaient interpréter des pièces d'auteurs aussi talentueux que Hugo Lebossu ou Jean Creuset-Desracines. En quelques occasions, elles jouèrent également dans des textes écrits en anglais par le célèbre Othélo Delatamise.

Les quintuplées affectionnaient les drames et les tragédies. Par contre, elles ne refusaient pas de faire partie de la distribution d'une sautillante comédie. Surtout quand le texte avait été fignolé par l'inimitable Adam Molaire ou la prolifique Comédia Dellarté.

Un jour, elles reçurent une proposition intéressante – financièrement parlant – de Dali Menterre, un imprésario à la fois célèbre et excentrique.

Après avoir signé leur contrat, les quintuplées Desvents se retrouvèrent à bord d'un énorme bateau offrant de luxueuses croisières. Ce fut une odyssée maritime de première classe, jusqu'à l'apparition d'un visiteur glacial et indésirable.

— Avant que le Grantanic frappe cet iceberg, enchaîne Lilas Desvents, nous avons eu le temps de jouer six fois la pièce d'un nommé Chloroforme Labarbichette, intitulée *Le ridicule ne tue pas*.

D'une voix laconique, elle poursuit:

— Malheureusement, au milieu de la septième représentation, le destin siffla la fin de notre voyage sur cette terre.

— Au début, tout n'était que paix dans notre cimetière d'adoption, explique Marguerite. Pendant plus de vingt-cinq ans – en fait, avant que surgisse le spectre de Macchabée –, pas le moindre incident disgracieux ne vint perturber l'harmonie et la quiétude de notre terre bien-aimée. On montait des spectacles, on goûtait au vent frais de la nuit, on chantait sous les étoiles, on dansait à la pleine lune...

— On compatissait avec la grande souffrance de ce Folamour-Macchabée, ajoute Pâquerette, coupant l'envolée poétique de sa soeur. Bien que mortes-vivantes, on n'a pas oublié qu'une peine d'amour est loin d'être de tout repos. On a cru que le despote finirait par se calmer. Cependant, on a eu tort et on a compris que l'obsession de vengeance de ce forcené ne serait jamais apaisée.

Derrière la clôture, les quintuplées se sont tues. Redevenues silencieuses, elles n'en demeurent pas moins fort agitées.

«Probablement que de raconter tous ces souvenirs les aura rendues nerveuses», songe une Mélanie résolue à ne pas laisser les soeurs Desvents continuer à se bercer d'illusions.

— Espérez-vous sérieusement que je me jette de nouveau dans la gueule des hyènes? lance la jeune fille. Je ne vous cacherai pas que vous m'êtes sympathiques et que je suis solidaire de votre lutte. Mais je vous implore de ne pas me demander l'impossible.

— Non, non, il n'est pas question d'exiger quoi que ce soit, répond vivement Rose Desvents, et encore moins de demander l'impossible. La gueule des hyènes, il faut la contourner, pas s'y jeter.

— Je vous ai déjà expliqué que je n'étais pas de taille à lutter contre cet incurable despote, se débat Mélanie, remuée par les précisions de Rose. Je suis vivante, moi, et j'ai tout à perdre à me mêler de vos histoires.

Prises au dépourvu, les quintuplées ne savent que dire. Avec une énergie renouvelée, Mélanie ne tarde pas à reprendre la parole.

— Vous me faites bien rire avec votre

idée de contourner la gueule des hyènes. Croyez-vous vraiment que vous pouvez soumettre un tyran de la trempe de Macchabée? Non, vous n'y arriverez pas. Un despote impose toujours ses propres règles du jeu. Après plus de cinquante ans de cohabitation avec Justin Macchabée et son Comité des griffes de la mort, ne me dites pas que vous n'avez pas compris ça.

Rose et ses soeurs sont médusées par cette intervention de Mélanie. Plus que jamais, les quintuplées Desvents sont convaincues qu'elles doivent obtenir la collaboration de cette fougueuse jeune fille.

— C'est vrai que ce malheureux frustré est un dangereux sadique, confirme Jacinthe. Toutefois, nous avons un plan pour le rendre inoffensif. Un plan infaillible mais, avouons-le, un peu risqué. Nous n'ignorons pas qu'en plus d'être tyrannique, Justin Macchabée est un fin renard. Avec toi à nos côtés, notre ruse paralysera sa violence. Mélanie Lapierre, il faut nous aid...

— Jacinthe, n'oublie pas notre promesse et cesse d'insister...

— Si tu acceptes de nous accompagner dans notre caveau, continue Jacinthe, ignorant la remarque de sa soeur Rose, nous t'expliquerons ce que nous pensons faire pour retirer Justin Macchabée de la circulation...

— C'est assez, Jacinthe, ordonne Rose à sa soeur qui se tait aussitôt, jugeant son but atteint.

Le silence revenu, Mélanie est embêtée.

Comment ne pas être solidaire de cette lutte à finir contre le despote des ténèbres? Oui, elle se sent solidaire de cette bataille pour que cessent les sévices dont sont victimes les esclaves du tyran. Oui, solidaire pour rétablir une paix durable dans le cimetière.

Une paix qui, d'ailleurs, n'aurait jamais dû être brisée.

Oui, paralyser Justin Macchabée et son macabre troupeau de disciples sanguinaires. Oui, redonner liberté et fierté à toutes les émules de Jacinthe, Lilas, Marguerite, Pâquerette et Rose Desvents.

Oui, cette dernière fois, d'une pierre, cent coups!

Jusqu'à la victoire finale!

Chapitre V
Les mille et une vies

Avant de s'engager dans un combat où l'ennemi est implacable, Mélanie hésite de nouveau. Quand le doute persiste, il est normal que les questions pleuvent.

«Comment m'assurer que ces soeurs Desvents ne sont pas complices du despote Macchabée et de sa bande sanguinaire? Et comment vérifier si les mésaventures de ce Pierrot Folamour n'ont pas été inventées de toutes pièces par les quintuplées?»

En quelques occasions, Mélanie a pu se rendre compte que Justin Macchabée était un habile manipulateur. Rusé, le tyran sait que les humains s'apitoient facilement sur le sort injuste réservé à certains de leurs semblables. Et pour éveiller leur indignation, rien de tel qu'une histoire poignante! Quel merveilleux appât que le récit des déboires amoureux de Pierrot Folamour!

D'abord, l'astucieux guet-apens. Suivi de l'ultime plongée dans la gueule des ténèbres. Pour ces raisons évidentes, Mélanie devrait s'éloigner du territoire du machiavélique despote. Et sans demander son reste.

Mais la réalité n'est pas si simple: en effet, les quintuplées Desvents ont réussi à toucher Mélanie. Malgré certaines appréhensions des plus légitimes, ces charmantes ex-comédiennes inspirent confiance à la jeune fille.

«Je suis sûre qu'elles sont sincères, songe Mélanie en sentant fondre ses dernières résistances. Et puis, si on cherche à me coincer, mes jambes ne me laisseront pas tomber.»

Vrai, Mélanie court vite. Énormément plus vite, du moins, que tous ces morts-vivants lents et traînards. Contre les agressions sournoises des hyènes du Comité des griffes de la mort, cela demeure un atout de taille.

Déterminée à mettre un terme au despotisme des ténèbres, Mélanie se glisse sous la clôture du cimetière. Au grand plaisir des quintuplées qui lui font signe de les suivre.

Une dizaine de minutes plus tard, les soeurs Desvents s'arrêtent devant leur caveau. Gentiment, elles invitent Mélanie à emprunter les marches de l'escalier qui mène à leur repaire.

— Après vous, mesdames, propose la jeune fille, encore légèrement soupçonneuse.

Rendue à destination, Mélanie n'en revient pas.

Entièrement décoré, le caveau invite à la fête foraine. Dans cette véritable caverne d'Ali Baba, le moindre caillou brille comme une pierre précieuse. Sur une banderole jaune, accrochée au fond du repaire, Mélanie lit un message inscrit en lettres rouges:

Mélanie Lapierre on te dit merci
et bienvenue aux mille et une vies.

Au signal de Rose Desvents, des musiciens commencent à jouer. Une pièce où guitares, violons, accordéons, tambourins et clochettes s'entremêlent sur un rythme endiablé.

Assurément, cette musique est plus vivante que le *Requiem en sol majeur*, mortellement joué, un peu plus tôt dans la nuit, par le quatuor à cordes Les pissenlits par la racine.

Sous la banderole, une silhouette courbée s'affaire à coudre. Apercevant Mélanie, cette créature laisse tomber ses aiguilles pour la saluer. Tout en lui rendant sa politesse, Mélanie ne cherche pas à fraterniser davantage.

— Celui-là, c'est Auguste Mornay, explique Rose en posant sa main gantée sur l'épaule de Mélanie. Quand nous faisions des tournées, c'était ce merveilleux Auguste qui fabriquait nos costumes.

— Avec le temps, il est devenu moins habile de ses mains, chuchote Jacinthe à l'oreille de la jeune fille. Par contre, sa patience est sans limite.

— Oui, oui, Mélanie, ce cher Auguste nous a beaucoup aidées, reprend Rose. D'ailleurs, sans ses mains adroites et tenaces, il serait impossible d'espérer déjouer le tyrannique Macchabée.

Les ténèbres piégées

La musique ayant cessé, deux instrumentistes se dirigent vers Mélanie. Effarouchée, la jeune fille ne peut s'empêcher d'avoir un léger mouvement de recul.

— N'aie pas peur, Mélanie, je suis Baba Aurome et je ne te veux aucun mal, lance le guitariste du groupe en lui souriant de toutes ses gencives.

Ne voulant pas l'effrayer encore plus, Baba s'arrête à une distance respectable de Mélanie. Malheureusement, aux yeux des humains, les morts-vivants sont souvent repoussants.

— Moi, je m'appelle Roula Talamort et je veux te remercier pour ta grande générosité, ajoute la violoniste en faisant mine de diriger un orchestre avec son archet.

— Au nom de tous les gitans, Mélanie Lapierre, un million de fois merci pour ce que tu te prépares à accomplir, lui crie une autre musicienne en déposant son tambourin sur le crâne de son voisin.

— Bon, ça suffit les présentations, intervient Rose. Si l'on veut neutraliser le tyran, on n'a plus le moindre instant à perdre.

Rose Desvents glisse sa main gantée sous le bras de Mélanie. Sans plus attendre, les deux se dirigent vers une des cabines, située à l'extrême droite du caveau.

En marchant, Rose explique comment les quintuplées ont mis la main sur les mystérieux cahiers de Justin Macchabée, alias Pierrot Folamour.

— Par une nuit de pleine lune, mes soeurs et moi avons réussi à nous faufiler dans son caveau. Pour une rare fois, son antre était resté sans surveillance. En fouillant dans sa tombe, on a aperçu les deux cahiers, dissimulés sous son oreiller de velours noir.

— Et vous les avez volés? s'informe Mélanie.

— Empruntés serait plus juste, précise Rose. Le temps de les mémoriser et ils furent aussitôt replacés. Avant la fin de la nuit, les cahiers avaient déjà été retranscrits.

— Est-ce que Justin Macchabée ignore que vous connaissez l'histoire de Pierrot Folamour? demande une Mélanie plus intriguée que méfiante.

— C'est tout à fait ça, réplique Rose en entraînant la jeune fille avec elle derrière un rideau pourpre.

Plus question de perdre du temps en vaines palabres! Dans à peine mille huit cents secondes, l'aube attaquera la nuit. Une aube remplie des plus belles promesses qui écartera bientôt les menaçantes ténèbres.

Et musellera enfin leur despote!

Pour l'éternité, c'est à souhaiter!

Chapitre VI
De la cervelle de libellule

Quinze minutes plus tard, le cimetière de l'avenue Lever-Croquet est méconnaissable.

En effet, le morne royaume du macabre a fait place à un étonnant rassemblement de joyeux lurons. Devant l'atmosphère de fête foraine régnant dans ce domaine de pierres tombales, on pourrait croire que Justin Macchabée a perdu le contrôle de ses troupes.

Certains chantent des ballades humoristiques. Sur le rythme entraînant des farandoles, d'autres dansent à en perdre haleine. Les amateurs de grandes symphonies ne sont pas oubliés: Amédé Husse et les quarante flûtes enchantées participent à la folle kermesse. Ailleurs, sur des tréteaux de fortune, des acrobates et des jongleurs provoquent les hourras et les bravos de cette foule insolite.

Au milieu de ces réjouissances, on a reconstitué un vaste marché public. En s'y promenant, on peut observer les objets les plus hétéroclites: une pince pour arracher les chicots de dents, une pommade miraculeuse faisant repousser les poils du nez ou, encore plus surprenant, un fer à licorne pouvant guérir les maux de tête.

Sur la place du marché, il va de soi qu'on peut aussi se régaler de mille et un bijoux culinaires.

D'abord, avec quelques mets typiques du terroir, comme cette terrine d'oreilles de coyote, servie avec une salade tiède de racines de pissenlits, assaisonnée au vinaigre de rhubarbe Pluizacid. Ou encore cette fricassée de sauterelles marinées dans un savant mélange de maringouins, de chenilles et de mille-pattes, le tout rôti et accompagné d'herbe à poux fraîchement cueillie.

Si on n'est pas rassasié, on se rabat alors sur le ragoût de queues de castor, de langues de coyote et de pattes de vautour. Un vrai régal, selon les habitués de l'avenue Lever-Croquet! On peut aussi se laisser tenter par le savoureux pâté de membrane de chauve-souris, suivi d'un tartare onctueux de crapaud vieillissant.

Le tout arrosé de quelques litres de sang bien chambré.

Quant à ceux qui préfèrent des plats plus exotiques, ils ne seront pas déçus. Ils pourront déguster les délicieuses fourmis rouges longuement aromatisées au venin de serpent à lunettes, servies sur un lit croustillant de feuilles d'eucalyptus.

Ils pourront aussi goûter la cervelle de libellule, aspergée d'une dizaine de millilitres de salive de jeune lama. Et pour mettre un peu de piquant à cet incontestable chef-d'oeuvre de la haute gastronomie, on ajoute quelques pincées de sueur séchée de vieux panda.

Il est entendu que tous ces mets, autant ceux du terroir que les plus exotiques, ne contiennent pas le moindre soupçon d'ail. La dernière créature à enfreindre ce règlement s'est retrouvée ficelée dans une gousse d'ail. Et de mémoire de mort-vivant, elle y croupit encore.

Les gourmands n'ont pas été oubliés. De somptueux desserts s'offrent à leurs dents creuses: meringue fouettée aux chats de gouttière, glace parfumée aux trois mouffettes sucrées, gâteau marbré aux griffes d'ours polaire, beignets flambés à la térébenthine ou biscuits saupoudrés d'exquise Morraurat, pour ne nommer que les plus alléchantes et les plus irrésistibles gâteries offertes aux fêtards.

Une jeune fille reste à l'écart de tout ce brouhaha. Le teint blafard, vêtue de blanc de la tête aux pieds, elle observe le déroulement de la fête. Rien ne semble échapper à cette frêle créature. Quand elle se déplace, au bras de sa mère, il émane d'elle un délicat arôme de vanille.

Peu à peu, le silence gagne la foule. On cesse d'épiloguer sur l'excellence des pâtés et la subtilité des parfums. Les fruits et les légumes sont putréfiés à souhait, mais on ne s'en vante plus. Dans le cimetière de l'avenue Lever-Croquet, on pourrait entendre voler un vautour.

Ce silence est cependant de courte durée.

Les yeux levés vers la pleine lune, certains commencent à fredonner. Sans tarder, Amédé Husse donne le signal de se faire entendre au groupe des quarante flûtes enchantées. En un rien de temps, le choeur reprend à l'unisson cette mélodie céleste.

Ô très fidèle Macchabée
ta forteresse il faut quitter
et te rendre place du marché
ô très cher Pierrot adoré
pour y cueillir un tendre baiser
de ta Colombine enfin retrouvée.

Sans relâche, comme une incantation, l'*Ode au retour de la seule et unique Colombine* est reprise jusqu'au moment où des ombres inquiétantes commencent à émerger de terre. À leur allure patibulaire, on imagine facilement que ces créatures ne sont pas des habituées des fêtes foraines.

Sur un geste d'Amédé Husse, la musique s'arrête.

Suivie rapidement du choeur.

Mais le silence ne dure pas longtemps, car les gémissements hostiles des nouveaux arrivants prennent la relève. Entre les deux groupes en présence, habitant pourtant le même cimetière, le contraste est frappant.

D'un côté, c'est l'éclat de la pleine lune, le goût de la fête. De l'autre, l'hommage au vert-de-gris, l'hymne à la désolation. À gauche, le miel onctueux de la vie! À droite, le fiel visqueux de la mort! Entre ces deux tendances, l'affrontement semble inévitable.

— Mon cher Pierrot, c'est moi ta Colombine et je suis si heureuse de te retrouver, lance la jeune fille au visage aussi blanc que neige en direction des troupes du tyran.

Justin Macchabée, alias Pierrot Folamour, s'immobilise. Décontenancé, il se tourne vers ses adeptes.

— J'attends cet instant depuis si longtemps, continue à clamer la pâle jeune fille. J'ai tant de choses à te confier, mon doux Pierrot, que j'ai hâte d'être seule avec toi.

Dans l'entourage du despote, le mécontentement gronde. Pourquoi leur chef suprême ne réagit-il pas? Habituellement, il n'écoute pas les stupidités de ces écervelés de fêtards.

Les ténèbres piégées

«D'ailleurs, pourquoi le grand manitou n'a-t-il pas déjà ordonné de chasser tous ces indésirables?» peut-on lire dans les yeux globuleux et inquiets des émules de Macchabée.

Le règlement est pourtant clair: nulle créature du cimetière n'a le droit de s'amuser. Surtout pas les soirs de pleine lune où, par tradition millénaire, il faut vénérer la magnificence des ténèbres. Et immoler haineusement toute forme de vie!

— Que vous arrive-t-il, ô tout-puissant Macchabée? se lamentent avec inquiétude les complices du tyran. Qu'attendez-vous pour nous donner l'ordre d'anéantir ces horreurs qui nous défient?

Une nouvelle fois, Justin Macchabée reste de marbre.

Aussi raide et froid qu'une pierre tombale!

Mais pas pour longtemps!

Incapable de réagir autrement, Justin Macchabée sent claquer les os de ses jambes. Bientôt, c'est toute sa carcasse qui tremblote. Désarçonné, le despote ne sait trop comment retrouver son habituel sang-froid.

— Maître, j'ai cru reconnaître la voix

de cette 1980-1992 Lapierre Mélanie. Depuis les deux dernières pleines lunes, elle passe son temps à nous narguer.

Cette intervention d'Yvon Souterre, ce maître de cérémonie au rire sardonique, permet à Justin Macchabée de se ressaisir. Il est humilié à la pensée que cette 1980-1992 Lapierre Mélanie ait failli lui faire perdre pied. L'occasion est trop belle, le tyran va donner une bonne leçon à cette jeune prétentieuse.

Une leçon d'agonie qu'elle n'oubliera pas de sitôt!

— Ma chère et douce Colombine, comment se fait-il que tu saches que je t'aime? lance Justin en direction des écervelés de la fête foraine. Si je me souviens bien, avant que ce Pierrot ait pu te déclarer son amour, tu étais déjà morte et enterrée.

— Oui, je sais, je sais, mon cher Pierrot, je suis morte trop tôt, répond la jeune fille de sa voix la plus fantomatique possible. Mais moi aussi, je t'ai follement aimé. Et dès le premier instant où je t'ai aperçu, soupirant derrière l'eucalyptus, ô mon timide et romantique Pierrot.

De nouveau, Yvon Souterre se rapproche de son maître. Ravi d'avoir flairé le piège, il se délecte déjà en songeant à l'immolation qui s'annonce.

— Pas de doute possible, c'est cette 1980-1992 Lapierre Mélanie, confie-t-il au despote. Et, parole de champignon vénéneux, cette peste essaie encore de nous piéger.

— Tais-toi, ignare de Souterre, répond furieusement Justin à son acolyte désemparé. Si elle était vraiment 1980-1992 Lapierre Mélanie, comment peux-tu expliquer qu'elle connaisse mes sentiments pour ma Colombine?

Toute la confrérie du Comité des griffes de la mort est abasourdie. Depuis des milliers de lunes, leur leader a su faire preuve d'un sang-froid remarquable. Par le passé, il avait toujours su triompher de la honteuse sensiblerie ou du vil attendrissement.

— Non, Souterre, ni toi ni les autres ne m'empêcherez d'aller cueillir le baiser promis par ma Colombine. Après plus d'un siècle et demi d'attente, il me semble que j'ai mérité de goûter à ce tendre baiser.

S'éloignant du troupeau de ses fidèles, d'une démarche plus alerte qu'à l'habitude, Justin Macchabée s'avance vers sa

Colombine. De plus en plus blafarde, Mélanie sait qu'elle ne pourra pas cacher encore longtemps la vérité au tyran. Plus le despote s'approchera de sa Colombine Dulcinée, plus le risque sera grand qu'elle soit démasquée.

Un long frisson parcourt alors la jeune fille. Elle vient d'imaginer toutes ces hyènes gloussant de plaisir en la dépeçant. Pour se rassurer, Mélanie songe que les choses se déroulent telles qu'elles ont été planifiées.

D'abord, il fallait entraîner Justin Macchabée hors de son caveau. Ensuite, l'éloigner de ses compères du Comité des griffes de la mort.

Double mission accomplie!

Mais la jeune fille se doute qu'elle n'est pas au bout de ses peines. Et qu'heureusement, il y a souvent loin de la coupe aux lèvres. Surtout que les lèvres pâles et tremblotantes de Mélanie Lapierre doivent se préparer à accueillir le baiser passionné du seul et unique Justin Macchabée.

Un baiser passionné en forme de cauchemar.

Chapitre VII
Le venin des ténèbres

Dans le voisinage de Mélanie Lapierre, le vide commence à se faire. À tour de rôle, les acteurs de la fête quittent la place du marché. La jeune fille s'inquiète de voir ses récents alliés s'engouffrer sous terre.

— Mais pourquoi m'abandonnez-vous ainsi? crie-t-elle aux déserteurs.

Tout en retirant sa main gantée du bras de Mélanie, Rose Desvents sent le besoin de fournir certaines explications à la jeune fille.

— Moi aussi, je dois partir.

— Même vous, Rose Desvents? réplique une Mélanie déconcertée par la tournure des événements.

— Oui, Mélanie, je dois m'effacer, répond laconiquement la plus courte des quintuplées. Si je suis touchée par la lumière de l'aube, je serai aussitôt propulsée dans ma tombe. Et isolée de mes chères soeurs, pour toute l'éternité.

— Vous ne m'avez jamais dit que vous me laisseriez seule avec Macchabée et sa bande, reprend la jeune fille. Dans le plan original, votre départ n'était pas prévu.

— Mélanie, ne va pas t'imaginer que nous t'abandonnons lâchement, se défend Rose. Moi et mes soeurs, nous serons là, sous terre, tout près de toi à t'encourager. Tu dois nous comprendre: pour l'instant, nous n'avons pas d'autre choix que de nous éclipser.

— Et moi, dans tout ça, avez-vous pensé à moi? rage Mélanie. Regardez-le s'avancer, votre despote des ténèbres. Il a vraiment l'air décidé à venir m'embrasser.

— Aie confiance, Mélanie, il ne parviendra jamais à ses fins, souffle Rose en s'éloignant. Encore quelques petites minutes de patience et le subterfuge aura réussi.

Puis elle disparaît sous la terre.

Désormais seule dans son camp, Mélanie ne perd pas de vue Justin Macchabée. Plein d'espoir, celui-ci continue à se rapprocher de sa Colombine Dulcinée. Et du tendre baiser qui lui a été promis.

Derrière le tyran, ses troupes paraissent en déroute. Malgré la menace de l'aube, aucun membre du Comité des griffes de la mort ne semble disposé à retourner dans la terre. Pas question de laisser tomber leur chef même s'il réagit aussi bêtement que tous ces imbéciles d'humains.

Noble fraternité et fidélité exemplaire!

Pour Mélanie, avant toute chose, éviter la panique!

L'ultime objectif n'a pas changé: retourner Justin Macchabée dans sa tombe et l'immobiliser pour l'éternité. Dans les prochaines minutes, l'envoyer paître là où il ne pourra plus faire de mal au moindre insecte.

Jusqu'à preuve du contraire, Mélanie Lapierre reste la seule et unique Colombine Dulcinée. À tout prix, ne pas éveiller les soupçons de l'ennemi en cherchant stupidement à se sauver. Manifester plutôt sa joie d'avoir enfin retrouvé le grand amour de sa vie.

— Approche, mon beau Pierrot, approche, réussit à murmurer Mélanie en reculant d'un pas. Maintenant que nous sommes réunis, la vie nous appartient.

Elle se doit d'agir ainsi.

Car si elle ne bat pas en retraite – subtilement, il va de soi –, Justin Macchabée enfoncera ses griffes acérées dans sa peau. Pire, ses lèvres déjà glacées vont paralyser d'effroi au contact de la bouche décharnée du tyran. De la bave de Macchabée, sûrement le plus horrible des venins!

À force de reculer, Mélanie se retrouve le dos collé à la clôture du cimetière.

«Mais qu'attends-tu, aube, pour te montrer le bout du nez?» a-t-elle le goût de crier à l'instant où Justin Macchabée s'apprête à la toucher.

— Enfin toi, ma douce Colombine! chuchote Justin en approchant ses lèvres sanguinolentes de celles de Mélanie. Si c'était à refaire, ma seule et unique Colombine adorée, sois assurée que je serais moins timide et...

Un sursaut d'énergie propulse Mélanie à quelques mètres du nostalgique tyran. Si ses jambes peuvent courir vite, elles peuvent aussi frapper comme l'éclair.

Les ténèbres piégées

Au moment où Mélanie va s'exécuter, Justin Macchabée a un geste de recul. Subitement, il prend son crâne dans ses mains tremblantes et squelettiques.

— Que se passe-t-il, ma Colombine? bafouille Justin en titubant. Je ne te vois plus... je ne vois plus rien... Non, non, ma belle tourterelle... je t'implore de ne pas m'abandonner une nouvelle fois...

Telle une toupie, le despote ne cesse de virevolter. Comme un épouvantail surpris par une tornade, le tyran est projeté sans ménagement sur les pierres tombales. Terrifiée, Mélanie assiste à ce carnage.

— Colombine, il ne fallait pas m'arracher à la quiétude de mon eucalyptus, rugit piteusement Justin Macchabée. Et fallait-il que ton odeur de vanille m'empoisonne le coeur?

— Je vous avais pourtant prévenu, ô tout-puissant Macchabée, que cette peste de 1980-1992 Lapierre Mélanie vous tendait un piège, hurle Yvon Souterre.

Sa phrase terminée, le fidèle compagnon de Macchabée est violemment aspiré au coeur de la terre humide. Dans cette nuit de moins en moins noire, toute la confrérie du Comité des griffes de la mort subit le même sort.

De plein fouet, les foudres de l'aube viennent de frapper. Une dernière fois, avant de disparaître sous terre, Justin Macchabée a le temps de gémir.

— Ferme-la... infâme Souterre... Tu ne sais pas de quoi tu parles... Quand on est aveuglé par la haine... vénéneux Souterre... on devrait rester muet comme une tombe...

N'apercevant plus la carcasse de Justin Macchabée, Mélanie Lapierre en profite pour décamper. Avec l'intention, cette fois, de ne pas se laisser distraire. Bientôt, elle se prélassera dans son lit douillet. La grille du cimetière franchie, elle exprime sa gratitude à l'aube providentielle.

— Mille neuf cent quatre-vingt-douze fois merci de t'être manifestée à temps, lance-t-elle en direction de l'horizon.

Chemin faisant, Mélanie entend des voix.

«Sûrement des humains, pour faire changement», songe la jeune fille en croisant un petit groupe enjoué.

Coup de théâtre sur la rue Ravi-Dlavie, Mélanie croit reconnaître Fabien Tranchant. Tout en parlant avec ses amis, ce

dernier jette un regard à la jeune fille. Puis, Mélanie a l'impression qu'il la salue discrètement.

Va-t-elle s'arrêter et tout raconter à Fabien? Non, Mélanie Lapierre décide plutôt de continuer son chemin.

Droit devant elle, en souriant à cette aube naissante.

FIN

Épilogue
Était-ce vraiment une fin?

— Et voilà, conclut Blanche Dépouvante devant son auditoire à la fois flatté d'avoir eu la primeur de son prochain roman et déçu que le récit soit déjà terminé.

Sans que sa fille s'en doute, Charles-Antoine Perrault avait invité Blanche Dépouvante. Gentiment, la romancière avait accepté d'être présente à la petite fête organisée à l'occasion du douzième anniversaire de Stéphanie.

— J'ignorais que madamc Dépouvante raconterait l'épisode final des mésaventures de Mélanie Lapierre avec Justin

Macchabée et le Comité des griffes de la mort, dit le père de Stéphanie, heureux d'avoir réussi à surprendre sa fille.

Stéphanie Perrault aurait tant de questions à poser à Blanche Dépouvante. Tant de questions qui se bousculent dans son esprit. Trop intimidée, elle ne parvient pas à en formuler une seule.

— Monsieur Perrault, je n'aime pas beaucoup le mot «final» que vous venez d'utiliser, reprend en souriant l'écrivaine. Tant qu'il y a de la vie, on peut s'amuser à changer le cours d'une histoire.

Après cette précision, Blanche Dépouvante se penche vers Stéphanie.

— Tu peux dormir en paix, ma grande fille. Justin Macchabée est bel et bien enfermé dans son cercueil pour l'éternité...

Au mot «éternité», la maison est plongée dans le noir. Au même moment, Stéphanie voit son père apparaître, un gâteau d'anniversaire illuminé dans les mains. Et la chorale improvisée s'exécute.

Ma chère Stéphanie
bonne fête à ton tour
à notre grande amie
on crie notre amour.

Stéphanie souffle sur les douze chandelles et réussit à les éteindre toutes. Les applaudissements fusent. Dans l'énervement, elle a oublié de faire un voeu. Peu importe, puisqu'elle est heureuse.

En découpant le gâteau, Stéphanie s'assure d'hériter d'une des cinq fleurs colorées qui en ornent la surface. Une surface abondamment crémeuse au seul et unique goût de chocolat.

Sans la moindre odeur de vanille!

Et encore moins d'eucalyptus!

Mélanie Lapierre

Table des matières

Panique au cimetière...7

Les griffes de la pleine lune..87

Les ténèbres piégées..171

Découvrez les autres séries de la courte échelle

Hors collection Premier Roman

Série Fred :
Fred, volume 1

Série Sophie :
Sophie, volume 1
Sophie, volume 2

Série Les jumeaux Bulle :
Les jumeaux Bulle, volume 1
Les jumeaux Bulle, volume 2

Série Marilou Polaire :
Marilou Polaire, volume 1

Série Clémentine :
Clémentine

Série Babouche :
Babouche

Série FX Bellavance :
FX Bellavance, volume 1

Série Méli Mélo :
Méli Mélo, volume 1

Série Pitchounette :
Pitchounette

Série Marcus :
Marcus

Hors collection Roman Jeunesse

Série Rosalie :
Rosalie, volume 1

Série Andréa-Maria et Arthur :
Andréa-Maria et Arthur, volume 1
Andréa-Maria et Arthur, volume 2

Série Ani Croche :
Ani Croche, volume 1
Ani Croche, volume 2

Série Notdog :
Notdog, volume 1
Notdog, volume 2
Notdog, volume 3

Série Maxime :
Maxime, volume 1

Série Catherine et Stéphanie :
Catherine et Stéphanie, volume 1

Série Germain :
Germain

Marquis imprimeur inc.

Québec, Canada
2010

Imprimé sur du papier Silva Enviro 100% postconsommation traité sans chlore, accrédité Éco-Logo et fait à partir de biogaz.